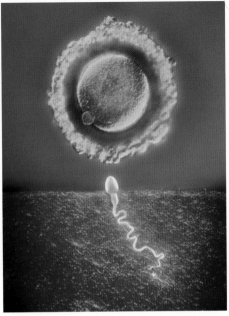

# Naître

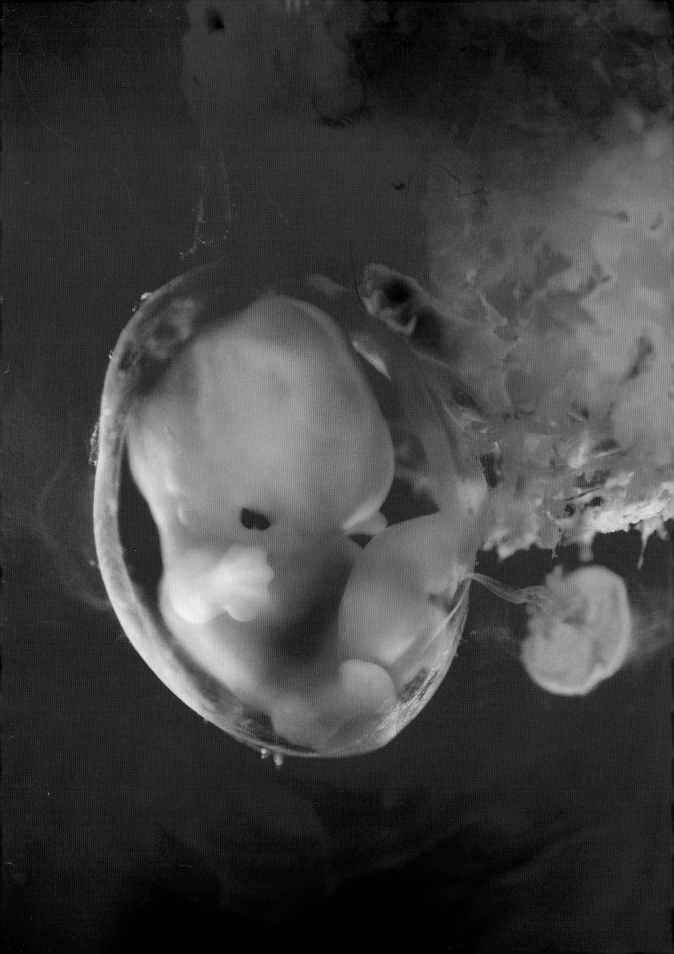

# Naître

Photographies *de* Lennart Nilsson

*Texte de* Lars Hamberger

*Préface de* René Frydman

HACHETTE

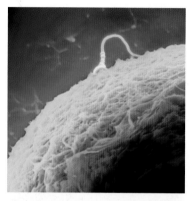

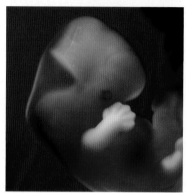

# *Sommaire*

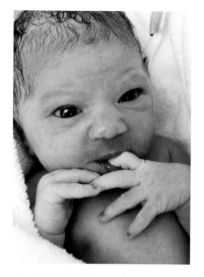

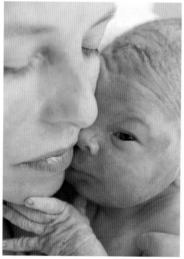

C'EST UN PLONGEON dans l'intimité extrême, un voyage au centre de l'être, du moins dans sa partie visible… On découvre dans cet ouvrage des images qui, tout en gardant douceur et poésie, s'inscrivent jusqu'à l'infiniment petit du début de la vie. Seuls demeureront insaisissables les sentiments qui conduisent un homme et une femme à s'aimer au point de désirer un enfant. Ce désir de se reproduire demeure mystérieux, et le mystère du « pourquoi » des choses s'accompagne ici de la magie du « comment » des choses.

Depuis l'instant de la conception, un cheminement chronologique permet, jour après jour, puis semaine après semaine, de suivre cette incroyable mutation, et l'on conçoit mieux encore après avoir feuilleté cet ouvrage combien le hasard doit, à chaque instant, être jugulé pour aboutir à la naissance d'un nouvel être humain. La nature est semée d'embûches, que le petit être humain potentiel va éviter. De l'absence d'implantation dans l'utérus à une mauvaise transcription du code génétique, des effets néfastes d'un environnement hostile (tabac, alcool, drogue…) à une naissance prématurée, on ressent la charge émotionnelle de cette tension permanente qu'implique la venue au monde.

Mais la nature fait généralement bien les choses, et ce livre indique avec sérénité ce qu'il convient de faire, ce qu'il faut éviter. La grossesse n'est pas une maladie, mais elle peut connaître certaines complications. Quelques points de repère simples peuvent aider à vivre calmement ces mois précieux jusqu'à l'apogée de la naissance.

Des milliards de femmes ont donné la vie, mais chaque naissance est un événement unique, partagé de plus en plus par le père. On perçoit derrière les photos de *Naître* tout ce qui se joue durant cette période dans l'inconscient, ces ambivalences, ces alternances de joies et de craintes. La présence d'une famille invisible, les êtres chers qui manqueront et, surtout, cette multitude de projets qui vont habiter un futur où la vie ne sera plus jamais comme avant. Les parents deviennent grands-parents, les enfants d'hier se muent en parents, et l'on s'amuse à reconstituer des arbres généalogiques plus ou moins imaginaires, toutes les générations étant déplacées d'un cran.

Ce que j'aime dans les images de Lennart Nilsson, c'est qu'il a réussi à rendre l'exactitude biologique tout en faisant rêver ; tout est représenté mais rien n'est figé. On sent qu'il a voulu saisir la force, l'âme qui pousse à cette mise en mouvement et qui aboutit à un présent autour duquel va s'équilibrer un « avant » et un « après » la naissance de son enfant.

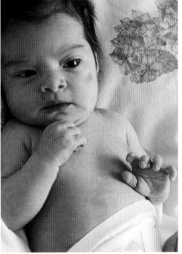

*René Frydman*

# Hommes et femmes

**Depuis des temps immémoriaux, l'amour représente
une force à nulle autre pareille. Dans toutes les cultures,
l'histoire se répète à l'identique : deux êtres sont attirés
l'un par l'autre et ressentent le besoin irrésistible de s'unir.**

# Six milliards d'habitants

L'expression « explosion démographique » est souvent utilisée de nos jours, et certaines personnes y voient une menace pour l'avenir de l'humanité. Combien d'habitants le monde peut-il contenir ? Nul ne peut le dire. Ce que nous savons, c'est que la population s'accroît inexorablement et que nous venons de passer la barre des six milliards d'êtres humains. Pourtant, le tableau est extrêmement complexe : dans les pays en développement, la pauvreté est endémique et la population s'accroît rapidement, tandis que les zones industrialisées connaissent le problème inverse, avec un développement démographique stagnant ou sur le déclin. À long terme, ce déséquilibre se traduira par des flux migratoires et des déplacements de populations. Les hommes politiques ne sont pas seuls responsables des mouvements d'immigration et d'émigration de notre monde.

Quoi qu'il en soit, toutes les cultures à travers l'histoire ont tenté de maîtriser la reproduction humaine, et nombre de méthodes plus pittoresques les unes que les autres ont été utilisées, tant pour protéger les femmes des grossesses non désirées que pour favoriser leur fertilité. Ce n'est qu'au cours des derniers siècles qu'une approche plus rationnelle et scientifique de la reproduction, de la gestation et de l'accouchement s'est fait jour ; les trente dernières années ont vu apparaître une manière totalement différente de suivre les grossesses et ont permis d'assurer aux femmes des accouchements sans danger, et parfois sans douleur.

Dans ce domaine aussi, la société moderne a laissé les anciennes croyances derrière elle. Pourtant, même si la reproduction était jadis soumise à des règles complexes et parfois à de mystérieux tabous, aucune culture n'a réussi à empêcher les hommes et les femmes de s'aimer. Et l'une des clefs de l'amour est le désir d'enfant.

### Le premier regard

Nous sommes tous très sensibles aux regards, même quand quelqu'un ne nous fixe que pendant quelques secondes. Cette photographie démontre que certaines émotions peuvent transcender une relation.

## Le moment décisif

Soudain, deux regards se rencontrent dans une pièce pleine de monde ou sur le trottoir d'une rue animée, et tout semble s'arrêter. Beaucoup d'entre nous se souviennent leur vie entière de ce moment magique, et c'est souvent l'image la plus forte que l'on garde d'un être aimé. Notre cerveau, nos émotions et notre amour résistent au processus de vieillissement. Mais le contact visuel n'est pas tout ; le timbre de la voix, et plus important, le langage corporel et les odeurs jouent leur rôle dans l'attirance entre un homme et une femme.

Les hormones mâles et femelles — la testostérone et les œstrogènes —, qui contribuent grandement à marquer les différences physiques entre les sexes, affectent également l'odeur de chaque personne par le biais de ses phéromones, substances chimiques que nous produisons et qui sont uniques pour chacun d'entre nous.

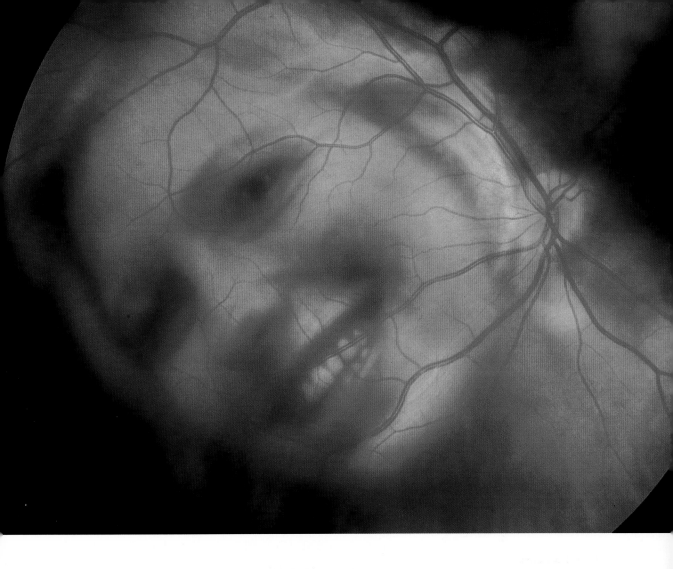

## Les hormones sexuelles

La testostérone (à gauche) et
les œstrogènes (à droite) acheminent
des messages chimiques complexes.
Ces hormones affectent entre autres
notre physique et nos sensations,
et elles sont essentielles dans
le processus de reproduction.

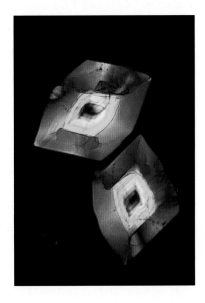

## Un parfum subtil

Beaucoup de chercheurs considèrent les odeurs comme déterminantes au commencement d'une relation. Depuis des milliers d'années, les parfums ont eu pour fonction de séduire. Nos phéromones influencent les comportements des autres membres de notre espèce. Si deux personnes sont attirées par leurs odeurs respectives, elles établiront probablement des liens forts, alors que si leurs phéromones se combinent mal, la relation aura peu de chance d'être durable.

Ces dernières années, les chercheurs ont découvert des gènes récepteurs des phéromones. On sait qu'il existe une petite zone spécifique de la muqueuse nasale, l'organe vomérien, capable d'enregistrer les phéromones à l'aide de ses récepteurs et de les transmettre au cerveau, où elles sont transformées en impressions ou en sensations. La production des phéromones dépend de la production hormonale. Les phéromones d'une femme capable de concevoir ne sont pas les mêmes que celles d'une fillette prépubère ou d'une femme ménopausée.

Si on les compare aux parfums ordinaires, les phéromones sont souvent plus subtiles, et agissent sur notre inconscient. Elles imprègnent nos vêtements, les sièges de notre voiture, les tissus d'ameublement, notre lieu de travail, et exercent leur effet sur ceux qui nous entourent. C'est ainsi que l'être humain, comme beaucoup d'animaux, marque son territoire. Lorsque nous sommes enrhumés, nous percevons moins facilement les phéromones autour de nous. De même, une congestion nasale due à une allergie chronique diminue notre perception des odeurs.

**Une question d'odeur**

Notre nez est programmé pour repérer certains signaux. Les muqueuses nasales perçoivent les odeurs ordinaires, mais l'organe vomérien, localisé à côté de l'os du nez, contient les récepteurs des phéromones. La photographie ci-dessous le représente, entouré de molécules femelles, agrandi des centaines de milliers de fois.

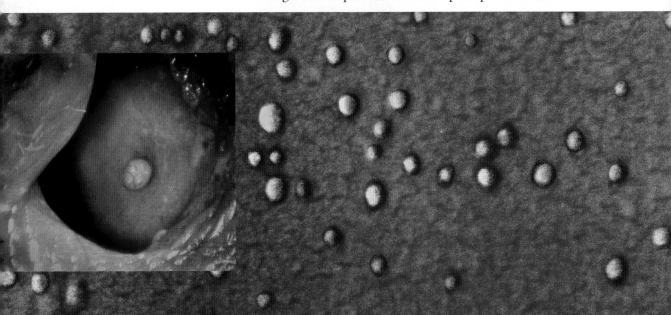

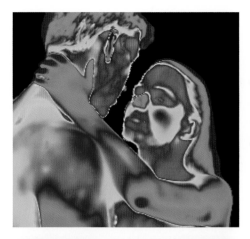

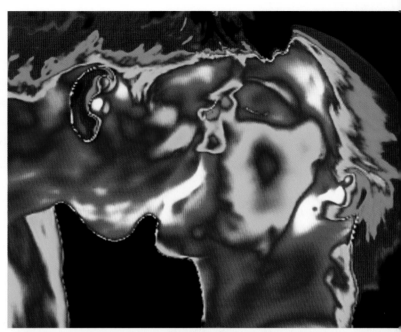

## Tout commence en couleurs

Le rouge, comme chacun le sait, est la couleur
de l'amour ; c'est également celle qu'enregistre
une caméra thermique lorsque deux amants
s'étreignent. Les tons rouge clair indiquent
les points les plus chauds, les tons bleus
les points les plus froids.

## Identiques et pourtant uniques

Vous pouvez être grand ou petit, mince ou gros, homme ou femme, vous et moi appartenons à l'espèce *Homo sapiens* et partageons un code génétique qui nous distingue, entre autres, des singes, des porcs et des oiseaux. Les chimpanzés sont les plus proches de nous : notre code génétique diffère très peu du leur. Nous sommes également très semblables à la race porcine sur le plan génétique. Les différences sont infinitésimales d'un homme à l'autre, mais elles sont suffisantes pour que chacun d'entre nous soit unique. Les seules personnes qui possèdent exactement le même matériel génétique sont les vrais jumeaux. Les êtres humains d'une même race ont un code génétique très proche, et tout particulièrement les membres d'une même famille : ils partagent souvent des caractéristiques physiques, comme la couleur des yeux ou des cheveux, la taille et la corpulence ; les éventuels problèmes de santé ou l'espérance de vie leur sont parfois communs.

Alors que l'on pensait que le code génétique était immuable, nous savons aujourd'hui que la génétique et l'environnement sont en constante interaction. Nous en savons également plus sur la manière dont l'environnement nous affecte. Pour toutes ces raisons, nous sommes désormais beaucoup plus conscients de l'importance de l'alimentation et du comportement des femmes enceintes pour l'avenir des enfants à naître. Cette prise de conscience de l'importance de la génétique, tant pour l'espèce que pour l'individu, s'est développée au cours de la dernière décennie. Le projet sur le génome humain (*human genome project*, ou HUGO), réunissant les chercheurs du monde entier, a été un succès. Les scientifiques ont pu établir le code génétique de notre espèce, avec près de 40 000 gènes porteurs d'informations spécifiques. Mais nous en savons encore trop peu sur la fonction de chacun d'entre eux, sur ce que cela implique et sur la manière dont ils se combinent dans notre organisme. Nous avons aussi beaucoup à apprendre sur la façon dont l'environnement affecte les propriétés de chaque gène.

Le code génétique étant connu, le vrai travail peut commencer : nous avons à découvrir la fonction de chacun de nos gènes et à comprendre la manière dont ils interfèrent entre eux. C'est à ce prix que la connaissance du génome humain aura une application pratique. C'est à ce prix que nous pourrons l'utiliser — sans jouer les apprentis sorciers — dans le traitement de certaines maladies.

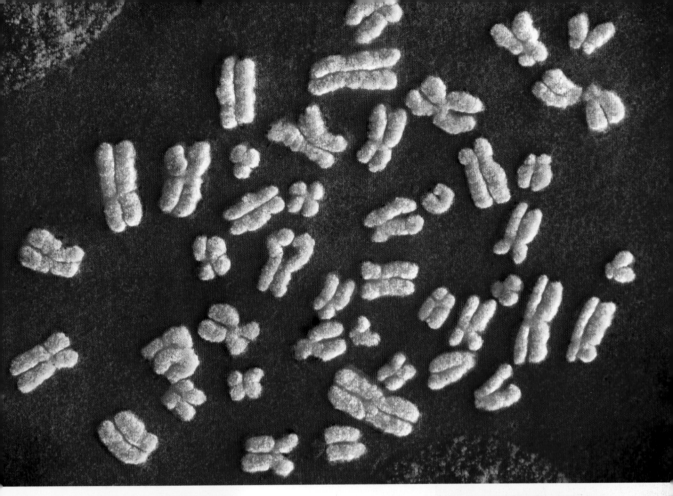

### L'héritage génétique

Tout notre code génétique est contenu dans les chromosomes de chaque cellule de notre corps (en haut). À l'intérieur de chaque chromosome se trouvent des espaces spécifiques dévolus à plus de 1 000 gènes qui déterminent les caractéristiques génétiques, comme des yeux marron ou des cheveux roux, que l'enfant hérite de son père ou de sa mère. Certains traits hérités des deux parents se retrouvent chez le bébé.

## Le génome humain

Chaque cellule du corps humain possède un noyau dans lequel est stocké notre matériel génétique. Nos gènes sont regroupés dans 46 chromosomes disposés avec une grande précision. Cette structure de 46 chromosomes représentant environ 40 000 gènes est commune à tous les êtres humains, mais il existe d'infimes variantes qui déterminent les caractéristiques de chacun d'entre eux, et ce sont ces différences qui font que chaque individu possède son apparence, ses talents et son tempérament propres.

Le matériel génétique étant identique dans chaque cellule du corps humain, nous pouvons déterminer le code génétique d'un individu en examinant une cellule unique grâce à la biologie moléculaire. Cette technique est aujourd'hui utilisée en médecine, pour évaluer le risque de prédisposition héréditaire à certaines maladies, et en criminologie, pour déterminer si un suspect est responsable ou non d'un crime donné.

Le matériel génétique se compose de molécules d'ADN qui se présentent sous forme d'hélices souvent désignées par les lettres A, C, G et T. Les différentes combinaisons de ces lettres donnent une grande variété de messages. Si l'on déroulait une chaîne d'ADN, elle mesurerait 1,8 mètre. Ces chaînes, qui comptent environ 3 millions d'informations codées, sont présentes dans chaque noyau de chacune de nos cellules.

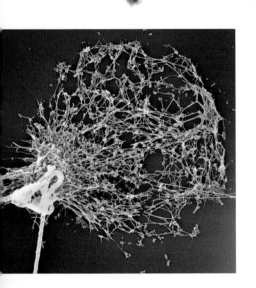

**De longues chaînes d'informations**

L'examen minutieux d'un chromosome permet de distinguer différentes bandes plus ou moins claires, les gènes. Chacun d'entre eux contient une longue chaîne hélicoïdale d'ADN, stockée d'une manière précise. Il est par exemple possible de voir qu'un chromosome donné contient le code nécessaire à la production d'une protéine spécifique. L'ADN du noyau d'un spermatozoïde (à gauche) illustre cette structure complexe.

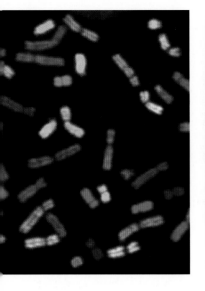

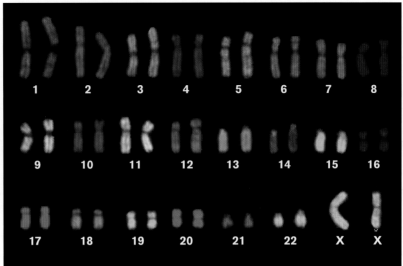

1 2 3 4 5 6 7 8

9 10 11 12 13 14 15 16

17 18 19 20 21 22 X X

Ces dernières se multiplient en se divisant, ce qui donne lieu à la création de deux nouvelles cellules contenant exactement le même matériel génétique. À chaque seconde de notre vie, dans toutes les parties de notre corps, des milliers de cellules identiques aux anciennes sont créées. Quand les cellules d'un organe commencent à vieillir, elles meurent, selon un calendrier préétabli (ou mort programmée des cellules) et sont remplacées par de nouvelles cellules qui nous permettent de rester jeunes et forts pendant de nombreuses années. On évalue à 240 les types de cellules, certaines d'entre elles ayant une plus grande longévité que les autres.

La recherche porte aujourd'hui sur la manière dont le code génétique affecte le vieillissement. Certains résultats indiquent qu'il sera peut-être bientôt possible de développer des substances capables de prolonger la durée de notre vie et de permettre aux femmes de porter des enfants jusqu'à un âge très avancé.

### Identifier les chromosomes

Les 23 types de chromosomes féminins se caractérisent par leurs couleurs différentes. C'est seulement à l'instant précis de la division des cellules qu'il est possible de distinguer clairement au microscope les différents chromosomes. Chacun d'eux possède deux branches réunies entre elles par une petite structure circulaire. Chaque chromosome a également une apparence spécifique. Grâce à l'ordinateur, il est aujourd'hui possible de les identifier et de les isoler par paires, mais seuls les spécialistes peuvent déceler une anomalie et en évaluer la gravité.

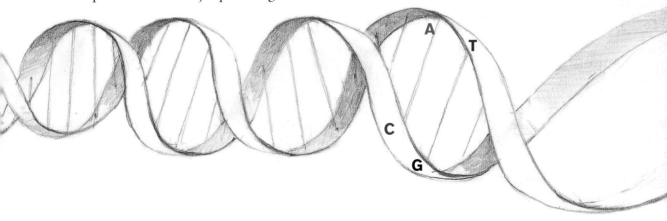

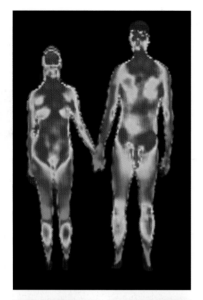

## Toute la différence

L'homme possède un type de chromosome de plus que la femme, le chromosome Y, qui remplace l'un des chromosomes X dans le code génétique de base. Contenant seulement une centaine de gènes, c'est le plus petit chromosome de l'être humain. En dépit de sa petite taille, il est d'une importance capitale.

## X ou Y ?

Les cellules sexuelles diffèrent des autres cellules de l'organisme en ceci qu'au moment de la fertilisation elles ne contiennent que 23 chromosomes chacune. Lors de la fusion de l'ovule et du spermatozoïde, le même nombre de chromosomes est ainsi apporté par l'homme et par la femme, portant le total à 46 chromosomes répartis en 23 paires. Les 22 premières paires sont identiques chez tous les êtres humains et numérotées de 1 à 22, de la plus grande à la plus petite. La 23e paire est la seule à contenir soit deux chromosomes X (chez les femmes), soit un chromosome X et un chromosome Y (chez les hommes).

Les ovules non fécondés contiennent 46 chromosomes, comme toutes les cellules du corps, et la 23e paire contient toujours deux chromosomes X. Pourtant, quelques heures avant l'ovulation, lorsque l'ovule est prêt à être fertilisé, le nombre de chromosomes est réduit de moitié ; 23 d'entre eux restent dans l'ovule et 23 sont expulsés à l'extérieur du cytoplasme, mais à l'intérieur de la membrane cellulaire. Bien que le spermatozoïde immature contienne 23 paires de chromosomes, ce nombre est également divisé lors du processus de maturation. La 23e paire contenant un chromosome X et un chromosome Y, la moitié des spermatozoïdes contiendra un matériel génétique féminin, et l'autre un matériel génétique masculin. C'est pour cette raison que c'est le spermatozoïde, et non l'ovule, qui détermine le sexe d'un être humain.

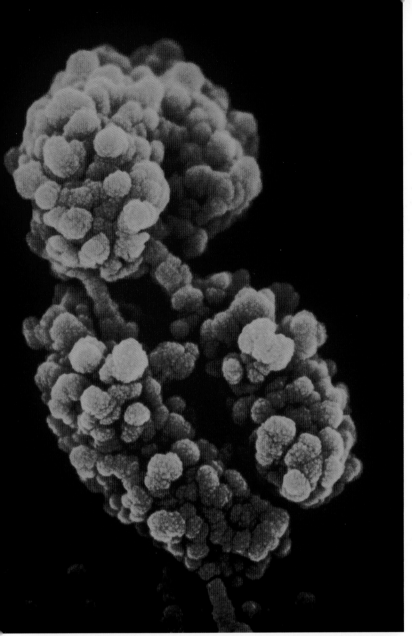

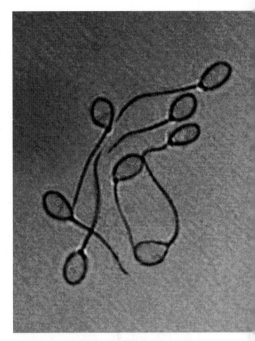

### Deux sortes de spermatozoïdes

Chaque spermatozoïde est porteur soit d'un chromosome X, soit d'un chromosome Y. S'il était possible de les séparer avec précision, il serait aussi possible de déterminer le sexe de l'embryon au moment de la conception. Beaucoup de tentatives ont été menées en ce sens par des chercheurs plus ou moins sérieux, sans succès jusqu'à aujourd'hui. C'est toujours Mère Nature qui détient la carte maîtresse en ce qui concerne le processus de sélection des sexes.

### La taille ne fait rien à l'affaire

À côté de l'imposant chromosome X (en haut à gauche), le chromosome Y semble tout petit. Malgré sa taille modeste, il a pourtant un rôle très important à jouer.

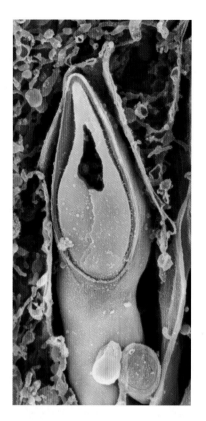

**Le spermatozoïde,
cellule sexuelle mâle**

Depuis la puberté et jusqu'à un âge avancé, les testicules d'un homme produisent des millions de spermatozoïdes chaque jour. Chaque spermatozoïde contient une unique empreinte des caractéristiques génétiques de l'homme. L'information génétique est concentrée dans le noyau du spermatozoïde mature (en coupe, ci-dessus).

## Côté masculin

Chez les animaux comme chez les êtres humains, le mâle de l'espèce a tendance à être plus fort physiquement. Tout au long de l'histoire, le rôle de chef de groupe, de chef de tribu ou de famille a, de ce fait, le plus souvent été dévolu aux hommes. Mais, dans les sociétés occidentales d'aujourd'hui, la force physique n'est plus un attribut indispensable ; les capacités intellectuelles, les qualités relationnelles et le savoir sont davantage prisés, et la prééminence de l'homme a diminué. Faut-il ajouter qu'en matière de reproduction le rôle de l'homme, s'il est essentiel, a toujours été moindre (et surtout plus court) que celui de la femme ?

Les spermatozoïdes, ou cellules sexuelles masculines, sont beaucoup plus petits que l'ovule féminin. Un spermatozoïde est composé d'un noyau qui contient le matériel génétique, d'une partie centrale et d'un long flagelle. Sa mission est d'introduire le matériel génétique de l'homme dans l'ovule, déterminant ainsi le sexe de l'enfant à naître.

Des cellules sexuelles primitives, connues sous le nom de « spermatogonies », sont déjà en place dans les testicules d'un garçon nouveau-né. Les hormones produites par l'hypophyse, petite glande située à la base du cerveau, gouvernent le développement sexuel d'un garçon et déterminent la production du sperme. Pourquoi les adolescents deviennent-ils sexuellement matures (en produisant un sperme capable de fertiliser un ovule) vers l'âge de 12 ou 13 ans ? Il n'existe pas de réponse claire à cette question, mais on pense que, jusqu'à cet âge, le thymus entrave la maturation sexuelle, laquelle dépend ensuite de différents facteurs intriqués, parmi lesquels les apports nutritionnels, l'action des hormones de croissance et celle des hormones surrénaliennes. Les facteurs génétiques jouent aussi un rôle important. L'hormone lutéinisante (LH) aide les testicules à produire de la testostérone, l'hormone sexuelle masculine, tandis qu'une autre hormone, la folliculo-stimuline (FSH) agit à la fois sur la production de sperme et sur la maturation des spermatozoïdes. Les hormones, et notamment la testostérone, influencent aussi la croissance, le développement musculaire, ainsi que celui des organes sexuels externes ; la voix change, quelques poils apparaissent au-dessus de la lèvre supérieure, et la pilosité corporelle commence à se développer. L'interaction entre les hormones fait l'objet d'un équilibre délicat. C'est la raison pour laquelle l'usage, chez les jeunes athlètes, de testostérone ou de substances apparentées, comme les anabolisants, peut avoir de graves conséquences (problèmes de stérilité, etc.).

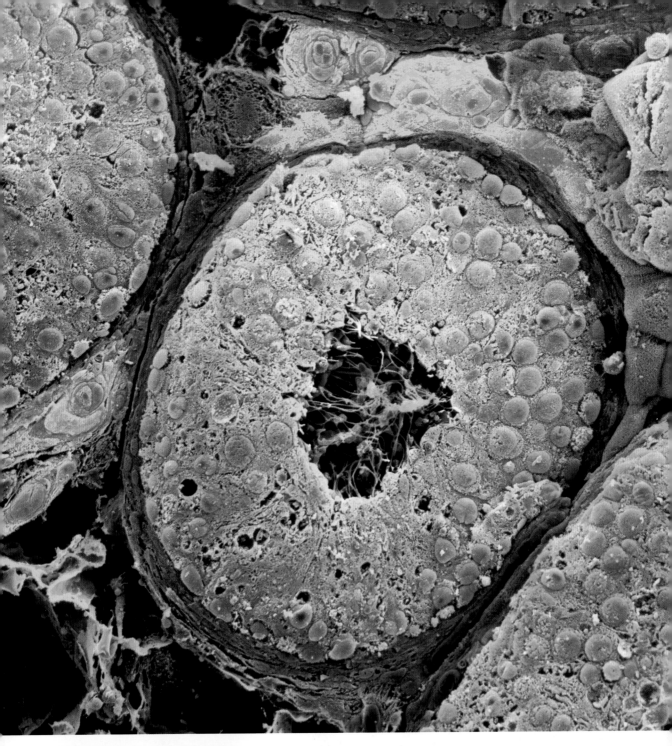

### Spermatozoïdes et hormones

C'est dans les canaux séminaux des testicules que les cellules mâles se développent sous l'influence des hormones sécrétées par l'hypophyse. Chacun d'entre eux possède une partie centrale dans laquelle les spermatozoïdes nouvellement produits attendent d'être acheminés vers les épididymes. Mais les testicules ne font pas que produire les spermatozoïdes ; dans un de leurs deux compartiments se trouvent les cellules de Leydig (petits groupes de cellules jaunes visibles sur la photographie ci-dessus), sécrétrices de testostérone (à gauche). La production de testostérone est aussi contrôlée par une hormone sécrétée par l'hypophyse.

# Un millier de spermatozoïdes par seconde

Alors qu'une femme ne développe qu'un ovule par mois pour une éventuelle fertilisation, un homme peut produire des milliards de spermatozoïdes dans le même temps. À chaque fois qu'il éjacule, son corps produit de 2 à 5 milligrammes de liquide séminal, contenant plus de 500 millions de spermatozoïdes. En tout, 85 % des spermatozoïdes produits par un homme sont défectueux d'une manière ou d'une autre, sans que cela ait des effets négatifs sur sa fertilité, en effet, il en reste un nombre suffisant pour féconder l'ovule. Il existe beaucoup plus d'aberrations génétiques touchant les spermatozoïdes que les ovules. L'ovule est responsable de la maintenance du génome humain, alors que les spermatozoïdes font l'objet de variations constantes. En d'autres termes, ils sont essentiels à l'évolution de l'espèce humaine.

Il faut du temps à l'organisme pour fabriquer les spermatozoïdes : plus de soixante-dix jours. Ils sont produits à l'intérieur des testicules, dans les canaux séminaux. La longueur de ces derniers atteint plusieurs centaines de mètres ; les spermatozoïdes se développent le long de leurs parois sous l'action des hormones, notamment de la testostérone.

Des études récentes ont mis en évidence une diminution alarmante de la capacité des hommes à produire des spermatozoïdes. Des recherches intensives sont menées pour déterminer les causes de ce phénomène, parmi lesquelles on soupçonne la pollution de l'air et la présence de toxines d'origine environnementale dans la chaîne alimentaire. Une autre cause possible est l'impact négatif des antibiotiques et des hormones qui subsistent dans la viande que nous consommons. On pense que, lorsqu'une femme mange de grandes quantités de ces résidus alimentaires durant sa grossesse, le développement sexuel des fœtus mâles pourrait être affecté. On a aussi émis l'hypothèse que le stress professionnel auquel sont soumis les hommes jeunes, notamment dans les pays industrialisés, pourrait jouer un rôle.

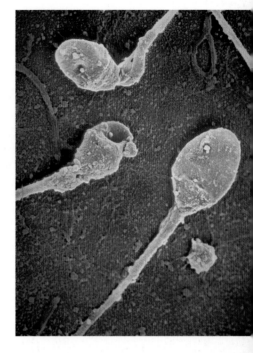

### Des cellules très spéciales

Avec leur noyau, leur flagelle et leur capacité de propulsion, les spermatozoïdes sont parmi les cellules les plus remarquables. Ils sont produits en quantités époustouflantes, mais seul un d'entre eux sur dix environ est parfait à maturité et se révèle capable de féconder un ovule.

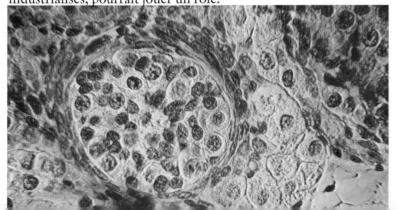

### Naissance d'un spermatozoïde

Les spermatozoïdes commencent à se développer au stade embryonnaire, mais ce n'est qu'à la puberté que la production commence et que les cellules sexuelles deviennent capables de fertiliser un ovule. Cette photographie montre le plan en coupe du testicule d'un fœtus de 18 semaines, avec le canal séminal visible au centre.

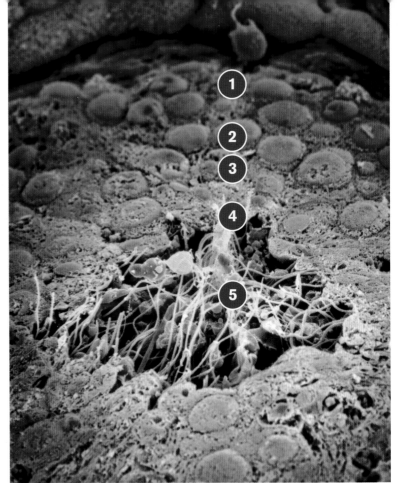

### Les testicules

Un enchevêtrement de canaux séminaux emplit chaque testicule. Chez un homme en bonne santé, près de 100 millions de spermatozoïdes, soit 1 000 spermatozoïdes par seconde, sont produits chaque jour. La photo ci-contre et celles des pages 27 et 28 montrent les différentes phases du développement d'un spermatozoïde.

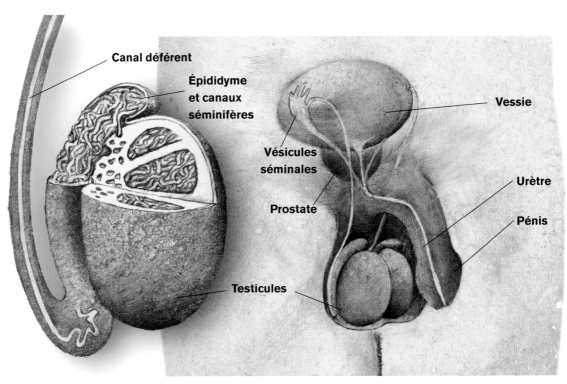

**Canal déférent**

**Épididyme et canaux séminifères**

**Vessie**

**Vésicules séminales**

**Urètre**

**Prostate**

**Pénis**

**Testicules**

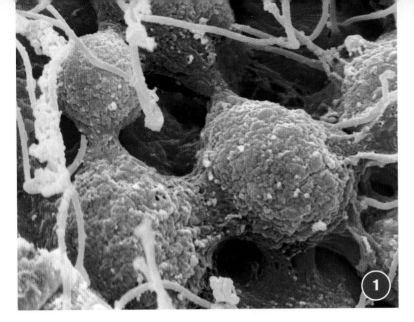

1

**Division du spermatozoïde**

Un spermatozoïde immature contient 46 chromosomes, mais il se divise rapidement en deux spermatides de 23 chromosomes chacun, qui deviendront plus tard capables de féconder un ovule pour donner naissance à un nouvel être humain. Sur la photographie ci-dessus, il existe encore un lien entre les deux spermatides.

## *Maturation des spermatozoïdes*

La production des spermatozoïdes commence à l'extrémité du canal séminal, où ils sont stockés. À mesure qu'ils mûrissent, ils migrent vers le milieu du canal, où se trouve une zone de transit. Leur flagelle se développe et ils progressent à l'intérieur du canal, flagelle en tête, suivi par le noyau.

À ce stade, les spermatozoïdes sont incapables de se propulser seuls : ils sont entraînés par les sécrétions du milieu. Ils atteignent ensuite les épididymes, où se déroule la maturation finale. Les flagelles deviennent actifs, et les spermatozoïdes acquièrent alors leur mobilité. Les spermatozoïdes ne vivent pas éternellement. En l'absence d'éjaculation, ils meurent, laissant place à une nouvelle production.

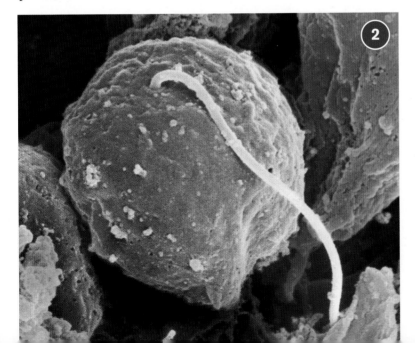

2

**Développement du flagelle**

Le spermatozoïde a migré vers le milieu du canal séminal, et son flagelle commence à se développer sur le noyau dont la taille est relativement importante.

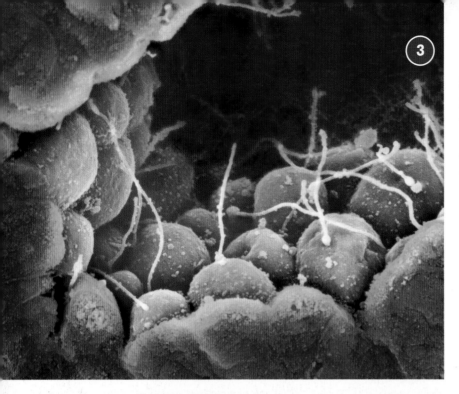

### Zone de transit

Près de leur centre de production, une multitude de spermatozoïdes à demi matures attendent de se développer totalement. Beaucoup d'entre eux ont déjà leur flagelle.

### Un dessin fonctionnel

À mesure que le spermatozoïde approche de la maturité, son apparence change. Son noyau, rond, devient ovoïde pour faciliter ses déplacements lors de la « compétition » ayant lieu à l'intérieur du système reproducteur de la femme.

### À vos marque

Dans la cavité centrale du can séminal se trouvent désorma des centaines de spermatozoïd munis de leur flagelle. Ceux-ci sont beaucoup allongés, et le risq de les voir s'enchevêtrer semb imminent. Les spermatozoïd sont alors acheminés vers le « rampe de lancement » da l'épididyme, où les flagel deviendront aptes à les propuls

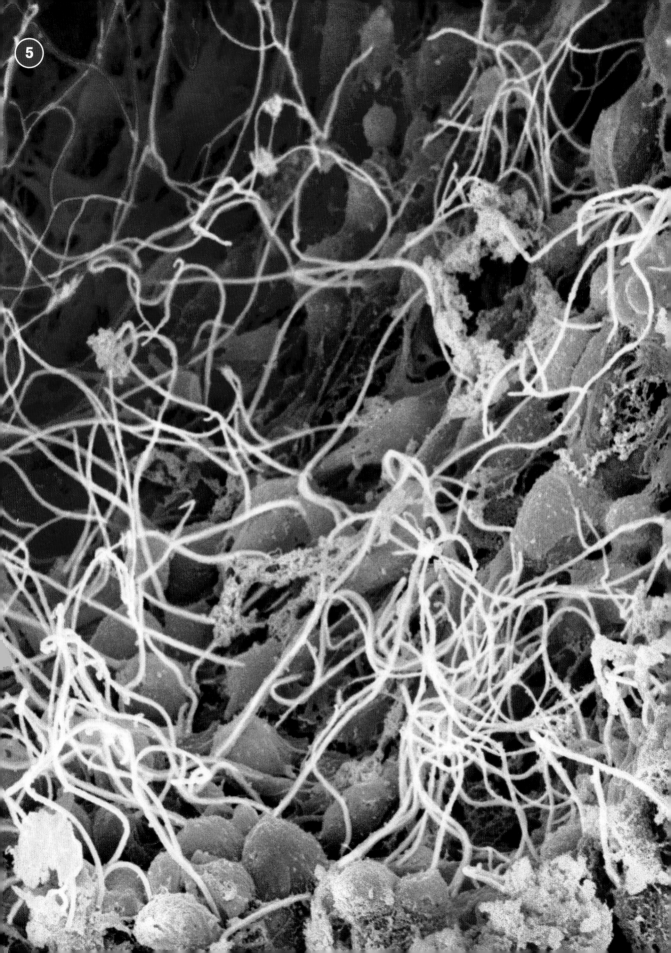

**L'ovule,
cellule sexuelle féminine**

L'ovule féminin est l'équivalent
du spermatozoïde masculin.
Il contient aussi un code génétique
unique mais, contrairement aux
spermatozoïdes, il n'existe pas
des milliards de compétiteurs.
Chez une femme en âge de procréer,
un unique ovule est émis chaque
mois par l'un des ovaires pour
être fécondé.

## Côté féminin

Dans le processus de reproduction, l'homme et la femme transmettent tous deux leur propre matériel génétique à l'enfant à
naître, après quoi la femme joue le rôle principal jusqu'à la naissance. C'est dans son corps que commence la division des cellules
et que se forme un nouvel être humain. Le système reproducteur
féminin, qui se prépare à la fertilisation chaque mois pendant
trente-cinq ans environ, est parfaitement conçu pour abriter un
embryon et mener une grossesse à son terme.

Tous les ovules qu'une femme produit existaient déjà sous leur
forme immature alors qu'elle était elle-même un embryon, mais ils
ne deviennent matures que beaucoup plus tard, et un à la fois. Un
peu avant la puberté, les ovaires commencent à produire davantage
d'œstrogènes sous l'action des hormones, et les ovulations
commencent. Le corps de la fillette se transforme, les premières
règles apparaissent. Il y a un siècle, cet événement survenait en
moyenne vers l'âge de 15 ans, mais aujourd'hui les filles sont réglées
vers 12 ans et demi. Une explication à ce phénomène est que la sur-
venue des règles dépend moins de l'âge que du poids. Nous man-
geons de manière différente, et les filles atteignent le poids nécessaire
pour la menstruation (de 46 à 47 kilos) beaucoup plus tôt qu'autre-
fois. Il existe, bien sûr, des variations individuelles, et la période
durant laquelle les règles peuvent normalement apparaître est longue.

Quand les règles d'une jeune fille, souvent irrégulières au début,
prennent un rythme mensuel, il y a toutes raisons de penser qu'elle
a commencé à ovuler et qu'elle peut devenir enceinte. Pourtant,
dans la plupart des pays, il y a un abîme entre le moment où une
femme peut concevoir un enfant et celui où elle est considérée
comme assez mûre pour devenir mère. Il existe à cet égard une
grande différence entre les pays industrialisés et les pays en voie de
développement d'Afrique, d'Asie et d'Amérique du Sud. Dans le
monde industrialisé, il n'est pas rare de voir une femme devenir
mère pour la première fois à 30 ans, voire 35 ans.

Il y a toutefois certains désavantages à avoir des enfants trop
tardivement. Les grossesses peuvent être plus compliquées, et la fertilité féminine diminue avec l'âge. Les femmes peuvent éprouver
des difficultés à concevoir, ou ne pas avoir le nombre d'enfants qu'elles
souhaitaient au départ. Le risque de fausse-couche augmente également car la qualité génétique des ovules s'altère avec le temps.

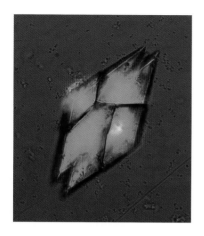

## L'hormone féminine

Les œstrogènes, sécrétés par les ovaires, sont les hormones féminines les plus importantes (à droite). Ils sont en partie responsables de l'aspect de la silhouette, de la taille des seins, de la peau et de l'épaisseur de la toison pubienne ; ils affectent certaines zones du cerveau. Les œstrogènes sont transportés par le système circulatoire dans différentes parties du corps féminin, mais ils restent sans effet en dehors de la présence de récepteurs spécifiques. Il existe deux récepteurs spécifiques des œstrogènes, les récepteurs *alpha* (ci-dessus) et *bêta* (ci-dessous). Ils déterminent la façon dont les tissus des différents organes réagissent aux œstrogènes du flux sanguin.

## Les hormones et le cycle menstruel

Le premier jour des règles commence un nouveau cycle qui dure environ quatre semaines. La première émission des hormones vient de l'hypophyse. La nature et la quantité des hormones sécrétées sont déterminées par une zone de la base du cerveau qui est en contact direct avec l'hypophyse.

Le rôle du cerveau est en effet fondamental en la matière. Ainsi, beaucoup de femmes savent que leurs règles peuvent être retardées, ou même disparaître pendant un ou plusieurs mois, lorsqu'elles sont stressées ou inquiètes. L'anorexie peut également affecter la menstruation. Le moindre changement dans la vie d'une femme, comme le fait d'entreprendre un régime ou de prendre des vacances, peut avoir pour conséquence l'arrêt temporaire de l'ovulation et des règles. Il en va de même quand une femme ressent un très fort désir d'enfant. Enfin, les athlètes de haut niveau et les danseuses sont tout particulièrement concernées par ce problème.

En effet, le stress auquel elles soumettent leur corps et leur cerveau affecte leur horloge biologique, qui doit fonctionner correctement pour qu'une femme puisse concevoir un enfant. Mais, chez toute femme raisonnablement équilibrée, le cerveau ordonne à l'hypophyse de sécréter des hormones qui vont stimuler les ovaires par le biais du système circulatoire. Les ovaires réagissent en sécrétant des œstrogènes, les hormones sexuelles féminines.

Les règles durent entre trois et cinq jours ; la perte de sang est de 40 millilitres environ, même si beaucoup de femmes croient en perdre plus. Ce sang provient de la muqueuse de l'utérus dans laquelle un ovule fertilisé aurait pu se nicher, qui est expulsée et remplacée par des cellules fraîches pour le cycle suivant. Il faut environ une semaine pour que cette membrane se reconstitue, s'épaississant et développant un fin réseau de vaisseaux sanguins.

Dans le même temps, les hormones sécrétées par l'hypophyse ont ordonné aux ovaires d'activer quelques-uns des ovules immatures. Un petit nombre d'entre eux réagit mieux et plus vite à ce signal hormonal, et quatre ou cinq ovules commencent à se préparer. Souvent, les ovaires ne produisent pas des ovules tour à tour. Lorsqu'une femme a subi l'ablation d'un ovaire pour une raison quelconque, l'ovaire restant ovule d'ailleurs chaque mois.

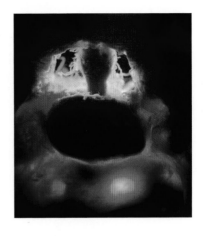

### Le chef d'orchestre

L'hypophyse est une petite glande située à la base du cerveau auquel elle est reliée par des fibres nerveuses. Elle sécrète de nombreuses hormones qui contrôlent la croissance, le fonctionnement de la thyroïde et l'émission par les ovaires d'ovules prêts à être fécondés. Chez la femme, un dysfonctionnement de l'hypophyse peut faire échouer l'ovulation. Chez l'homme, elle joue un rôle important dans la production de spermatozoïdes.

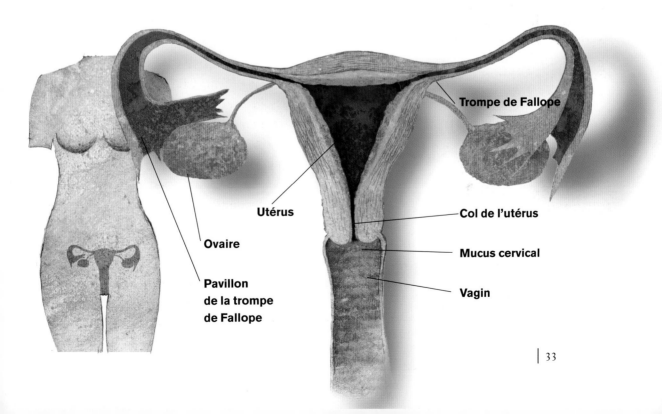

Trompe de Fallope

Utérus

Ovaire

Pavillon de la trompe de Fallope

Col de l'utérus

Mucus cervical

Vagin

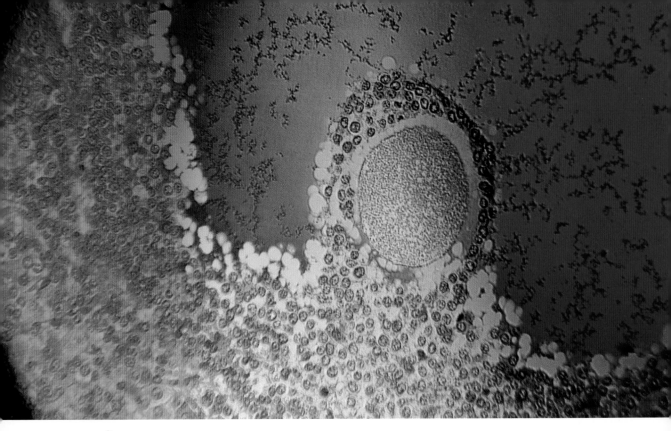

## Le corps se prépare

À l'approche de l'ovulation, la femme remarque souvent que ses sécrétions vaginales sont plus abondantes. Ces sécrétions, qui viennent du col de l'utérus et qui augmentent au moment de l'ovulation, sont claires et filantes. Ces qualités permettent aux spermatozoïdes de franchir le col de l'utérus. Un examen quotidien de la glaire cervicale constitue une méthode de « planning familial naturel » utilisée par les femmes dans beaucoup de pays du monde.

Cette technique peut constituer une forme de contrôle des naissances, auquel cas le couple interrompt ses rapports sexuels quelques jours par mois ; elle peut aussi permettre de repérer les jours de l'ovulation lorsque le couple désire une grossesse.

Il existe d'autres signes d'ovulation. Certaines femmes ont mal au dos, d'autres peuvent avoir quelques boutons. La température corporelle augmente également d'un demi-degré environ. Une femme peut ainsi prendre sa température tous les matins pour savoir si elle a une chance d'être enceinte.

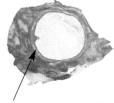

**L'ovule à maturité**

Quelques jours avant l'ovulation, un follicule ovarien commence à se développer dans l'un des ovaires de la femme, et l'ovocyte qu'il contient migre vers la surface de l'ovaire tandis que les muqueuses de la cavité pelvienne sécrètent un fluide. Le follicule parvient à la surface, prêt à libérer l'ovaire au moment de l'ovulation.

**La probabilité de conception**

La probabilité est relativement élevée (26 %) le jour suivant l'ovulation, puis elle décroît progressivement. Elle est évaluée à 5 % après quatre jours, et devient négligeable le jour suivant.

**Jour 0 = ovulation**

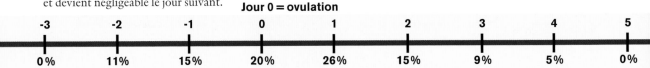

| -3 | -2 | -1 | 0 | 1 | 2 | 3 | 4 | 5 |
|----|----|----|---|---|---|---|---|---|
| 0 % | 11 % | 15 % | 20 % | 26 % | 15 % | 9 % | 5 % | 0 % |

# Un stock d'ovules non renouvelable

Contrairement à l'homme, qui produit des cellules sexuelles tout au long de sa vie, le stock d'ovules de la femme se développe avant sa naissance, puis diminue progressivement pour être totalement épuisé à la ménopause. Au cours des quatre premiers mois du développement de l'embryon, les ovaires du fœtus féminin ont déjà produit de 6 à 7 millions d'ovules. Avant même la naissance de la fillette, des millions d'ovules meurent, et cette mort programmée des cellules continue par la suite. À la puberté, lorsque la jeune fille ovule pour la première fois, le stock d'ovules se réduit à 2 millions environ et, au moment où la femme atteint la ménopause, il est pratiquement épuisé. Mais durant toute la période pendant laquelle la femme est féconde, ses ovaires utilisent de 200 à 400 ovules, dont seuls quelques-uns seront fertilisés pour donner naissance à un enfant. La femme dispose donc d'énormes réserves, même si son surplus de cellules sexuelles est moindre que celui de l'homme.

**Ovaires immatures**

Durant la gestation, les ovaires d'un fœtus féminin produisent de nombreux ovules. Cette photographie montre un ovaire féminin à 30 semaines de grossesse, avec beaucoup d'ovules minuscules et un plus gros, parfaitement visible.

**L'ovaire d'une fillette à la naissance**

**... celui d'une femme féconde**

**Trente-cinq ans de fécondité**

À la naissance, une petite fille possède quelques ovocytes presque mûrs dans chaque ovaire, mais ils ne sont pas prêts pour la fécondation. Pendant sa période féconde (environ trente-cinq ans), 400 ovules au maximum vont être libérés, bien que ce nombre soit souvent inférieur en raison des grossesses, des périodes d'allaitement et de la prise de la pilule contraceptive. Après 50 ans, une femme ne possède plus de follicules ovariens, bien que ses ovaires puissent continuer à produire des hormones pendant plusieurs années.

**... celui d'une femme de 55 ans**

## Sa majesté l'ovule

À maturité, l'ovule prêt pour la fertilisation a un diamètre d'un dixième de millimètre ; il est presque assez gros pour être visible à l'œil nu. C'est la plus grosse cellule du corps humain, véritable géante dans un monde microscopique, mais son noyau est beaucoup plus petit, pas plus grand en fait que celui d'un spermatozoïde, ou de la même taille environ que celui d'une autre cellule. C'est dans ce noyau que se trouve stocké le matériel génétique de la femme. L'ovule est entouré d'une grande quantité de cytoplasme, nécessaire pour lui apporter nourriture et oxygène pendant les premiers jours qui suivent sa fertilisation dans une trompe de Fallope. Partout dans le cytoplasme se trouvent des mitochondries, sortes de granulés qui alimentent l'ovule en énergie. Les mitochondries contiennent aussi des molécules d'ADN. Si ce dernier est anormal, il peut en résulter des maladies congénitales qui se transmettent de la mère à l'enfant. À mesure que la femme vieillit, les fonctions des mitochondries de l'ovule se détériorent. On considère que c'est le principal facteur expliquant les difficultés croissantes des femmes à procréer à partir d'un certain âge, et leurs fausses couches plus fréquentes. Les autres cellules contiennent aussi des mitochondries impliquées dans le processus de vieillissement.

**Prêt pour la fécondation**

Au moment de l'ovulation, l'ovule se débarrasse de la moitié de ses informations génétiques en les envoyant vers la périphérie du cytoplasme ; 23 chromosomes restent dans son noyau. L'ovule est entouré d'une couche de cellules nourricières, qui migreront avec lui dans la trompe de Fallope après l'ovulation. Il est désormais prêt à rencontrer un spermatozoïde.

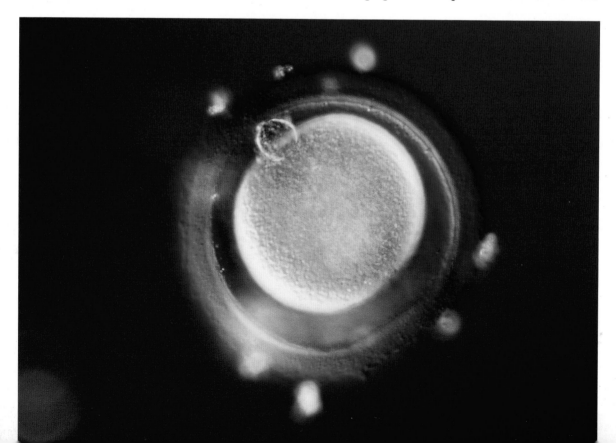

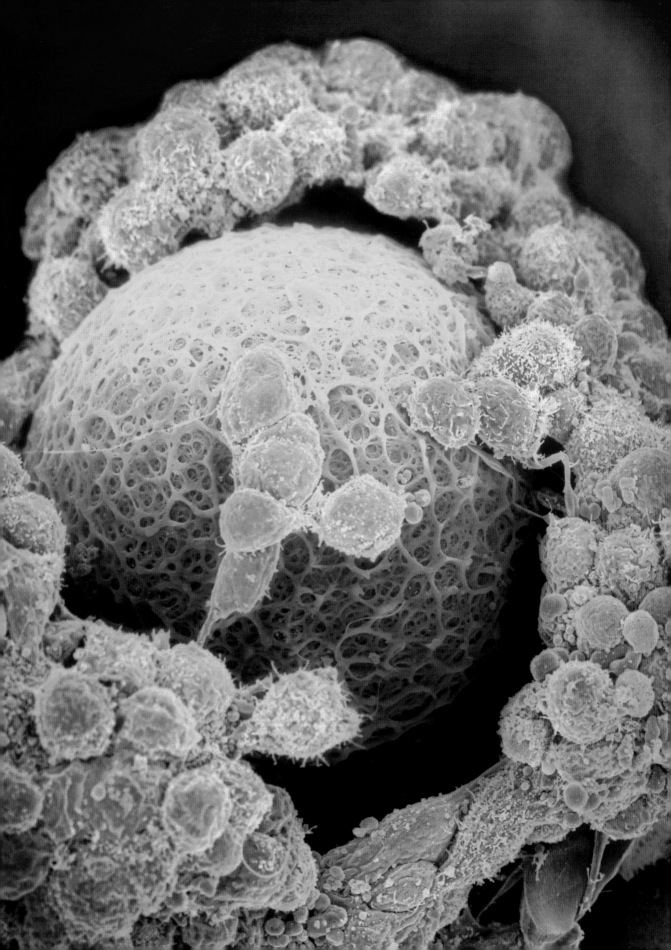

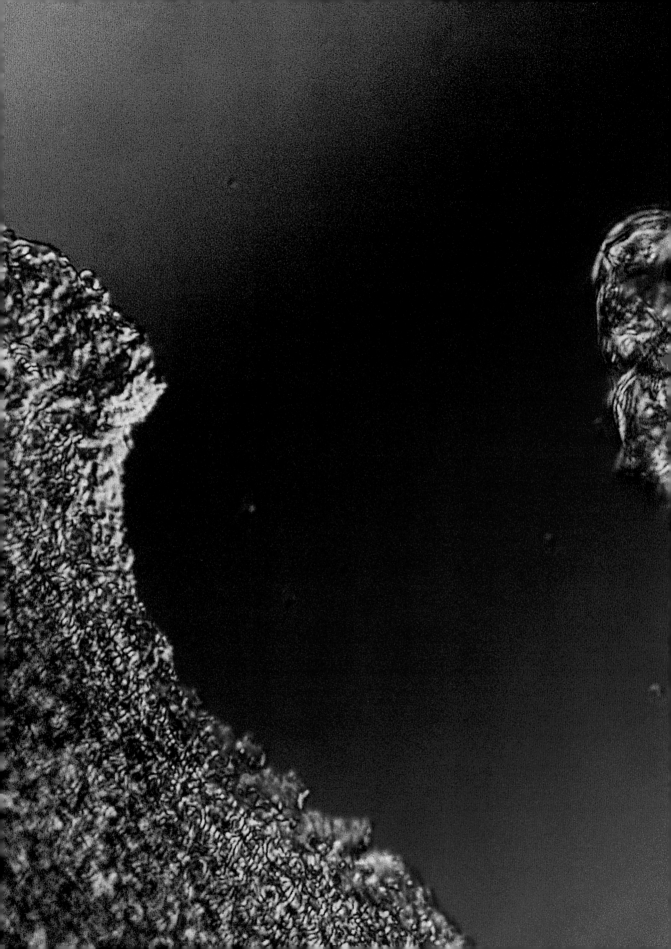

# Fertilisation
# et conception

**Pour qu'une nouvelle vie se crée, différents événements doivent survenir à des moments précis. Peu de processus ont donné lieu à autant de mythes et de superstitions que celui de la conception. Ce n'est que tout récemment que l'on a pu en définir toutes les étapes.**

## Libération de l'ovule

Bien que cela ressemble à une éruption volcanique, le processus est relativement lent. L'un des follicules ovariens — qui a, jusqu'à cet instant, enveloppé l'ovule dans un cocon protecteur — se rompt brusquement, et l'œuf, entouré de cellules nourricières, est poussé vers l'extérieur. Le pavillon de la trompe de Fallope est largement ouvert près de l'ovaire, prêt à l'attirer dès son apparition.

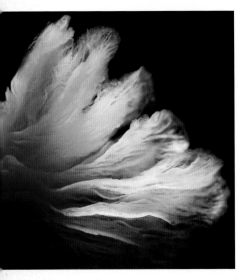

## *L'ovulation*

Normalement, une femme ovule une fois par mois, deux semaines environ après ses dernières règles. C'est la seule période durant laquelle l'acte sexuel peut aboutir à la conception. En d'autres termes, les spermatozoïdes ne peuvent accomplir leur mission que pendant quelques jours par mois. La fertilisation a lieu dans une des trompes de Fallope, que l'ovule y soit ou non arrivé le premier.

Quand la femme ovule, les spermatozoïdes peuvent attendre dans les plis de la muqueuse utérine, où ils sont capables de survivre durant plusieurs jours. L'ovule est plus fragile : on pense qu'une fois qu'il est dans la trompe la fertilisation doit survenir dans les quarante-huit heures au plus pour qu'il existe une chance de grossesse. L'ovulation débute quand un petit nombre d'ovules commence à se développer. En principe, l'un d'entre eux est plus rapide que les autres. Environ deux semaines après le début de la menstruation, le follicule ovarien contenant un ovocyte prêt à être fertilisé atteint environ 2 cm ou plus. Il se rompt, et le liquide qu'il contient (de 10 à 15 millilitres) est libéré en même temps que l'ovocyte ; ce dernier est entouré de milliers de cellules protectrices, chargées de le nourrir.

Lorsque l'ovocyte est libéré du follicule, il ne tombe pas dans la cavité abdominale, mais est capté par le pavillon d'une des deux trompes de Fallope. Chez une femme ayant des tissus cicatriciels consécutifs à une infection dans ces organes délicats, cette mécanique sophistiquée peut être affectée.

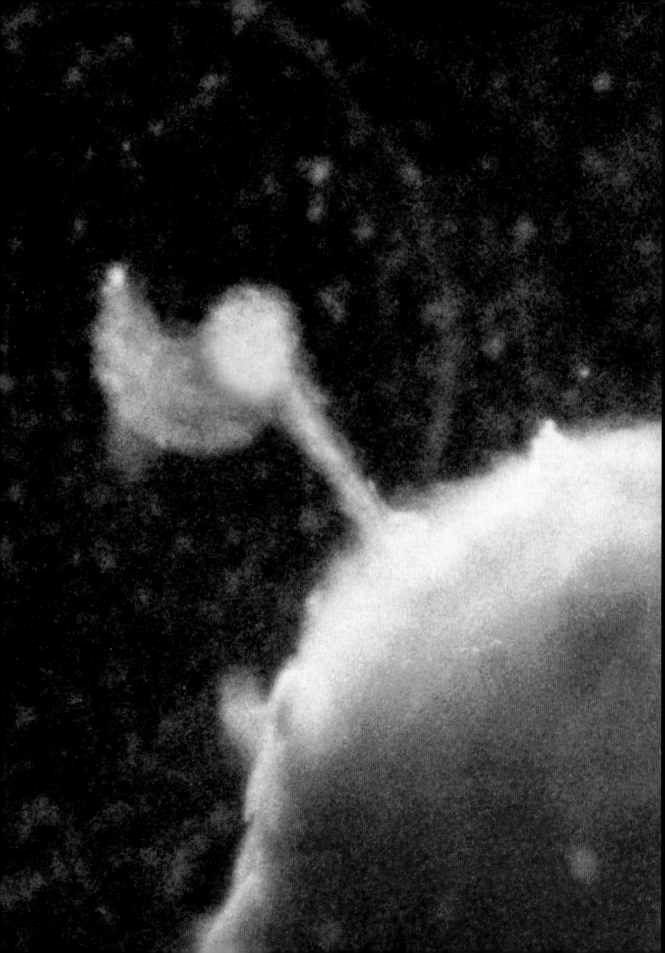

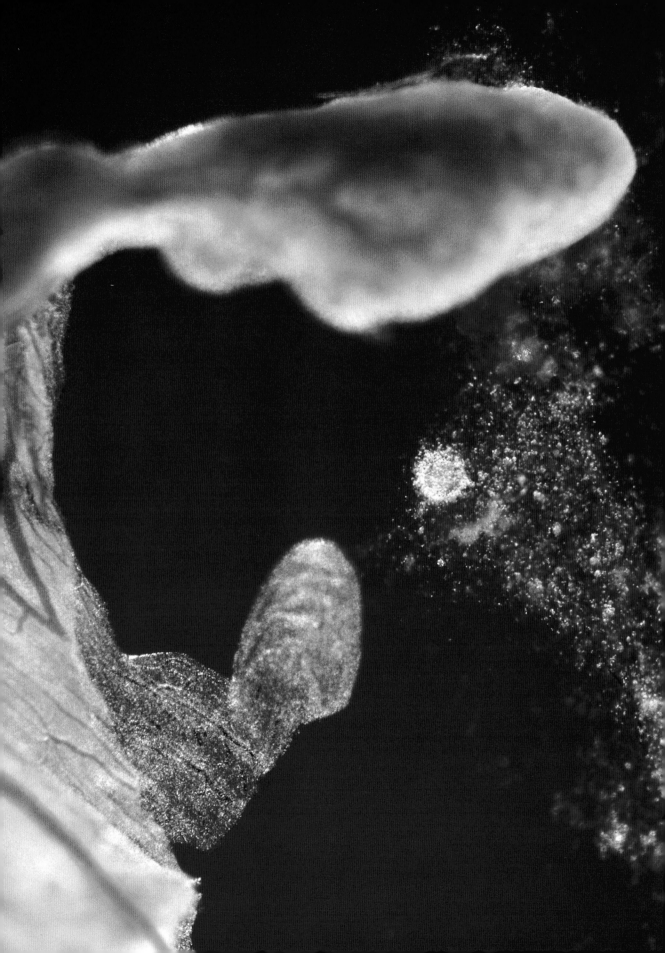

### Sain et sauf

Une nuée de cellules nourricières entourent l'ovule lorsqu'il est capturé par le pavillon de la trompe, puis acheminé dans celle-ci (voir page ci-contre). À son extrémité, la trompe s'ouvre sur la cavité pelvienne, où l'œuf peut passer deux ou trois jours en attente des spermatozoïdes avant de migrer vers le col de l'utérus (à gauche). Il arrive que des spermatozoïdes soient déjà présents, attendant l'ovule. Une femme n'est féconde que durant quelques jours au cours de son cycle menstruel.

## La capture de l'ovule

Dans le pavillon de la trompe de Fallope, l'ovule est acheminé vers l'environnement protégé de l'oviducte, où les mouvements des minuscules cils vibratoires de la muqueuse l'empêchent de tomber dans la cavité abdominale. Il reste quarante-huit heures dans cet habitacle ouvert, immobile ou glissant lentement le long de la membrane dans l'attente de son partenaire mâle. Cette zone confortable de l'oviducte apporte une protection optimale aux spermatozoïdes comme à l'ovule, ce dernier y achevant sa maturité. Lorsqu'un ovule attend en pure perte, ou si sa rencontre avec le spermatozoïde ne produit pas d'embryon, il va simplement continuer son chemin dans la trompe jusqu'à l'utérus, puis il franchira ensuite le col de l'utérus pour atteindre le vagin. Les règles surviendront après une dizaine de jours.

Après sa rupture, le follicule va jouer un autre rôle important dans l'ovaire. Il avait sécrété jusqu'ici de grandes quantités d'œstrogènes ; il commence désormais à fabriquer une autre hormone, la progestérone, aux propriétés très différentes. Celle-ci passe dans le flux sanguin et stimule la préparation de l'endomètre pour recevoir, éventuellement, un ovule fécondé.

### Nouvelle mission pour le follicule

Le follicule ovarien s'est rompu, montrant désormais une déchirure par lequel l'ovocyte s'est échappé. Mais son travail n'est pas achevé pour autant. Il s'est transformé en corps jaune, et ses cellules commencent à sécréter de la progestérone.

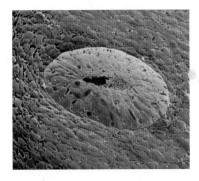

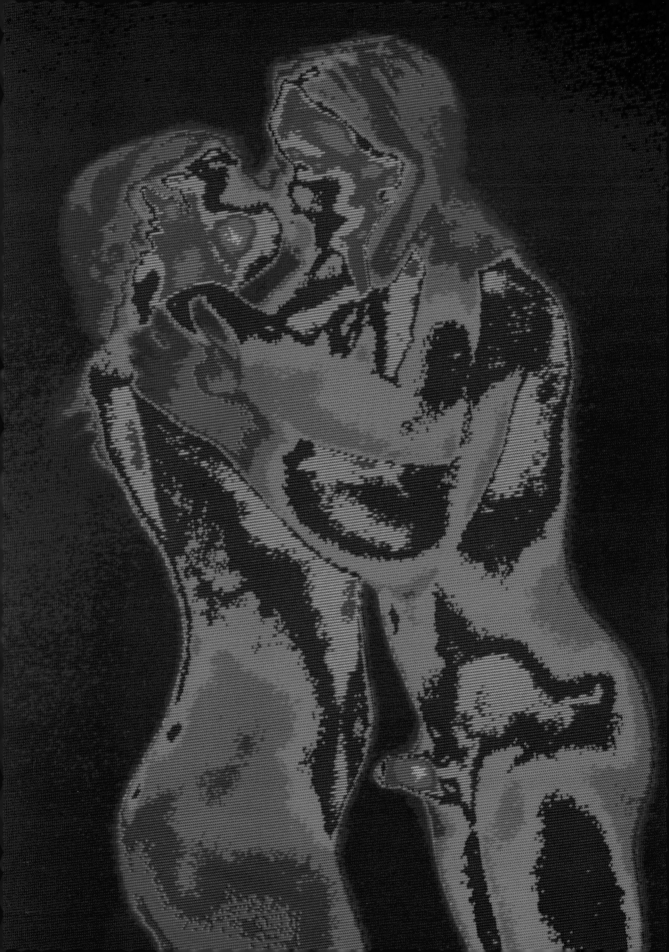

### Les préparatifs

L'ovule se déplace dans la trompe, entraîné par les milliers de cils vibratoires qui en tapissent l'intérieur. La couche externe des cellules nourricières commence à se résorber, favorisant l'effet de friction et permettant aux enzymes de la trompe de Fallope d'accomplir leur rôle. L'ovule se prépare ainsi à l'arrivée des spermatozoïdes.

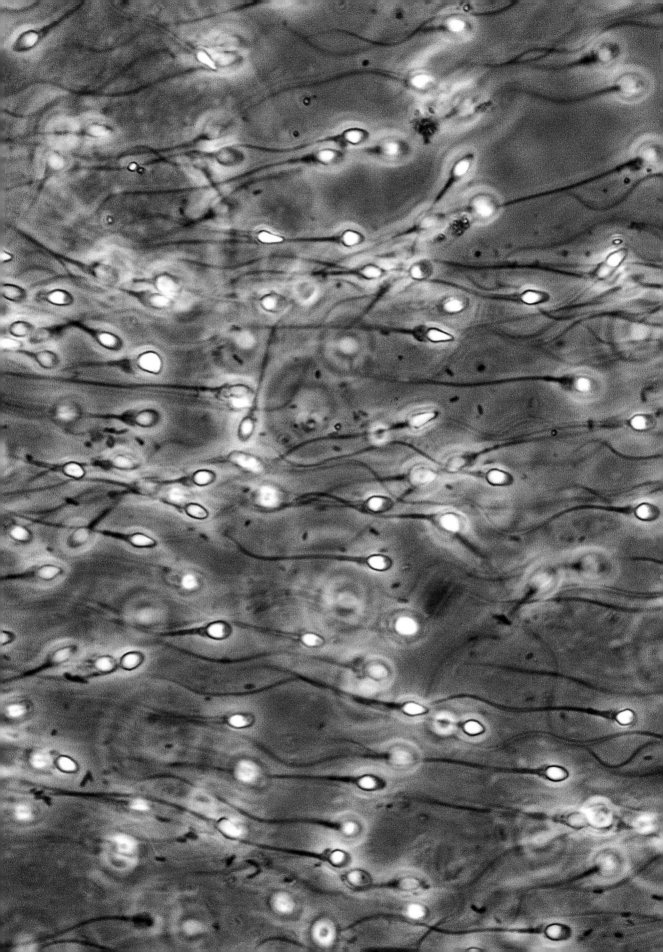

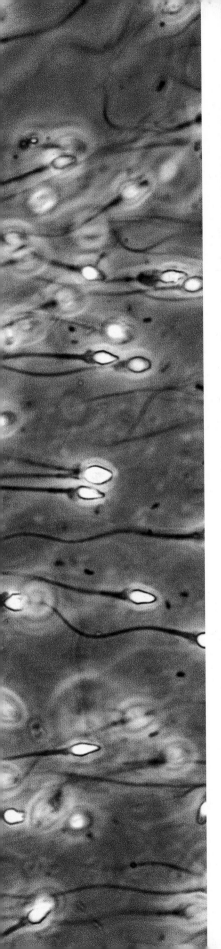

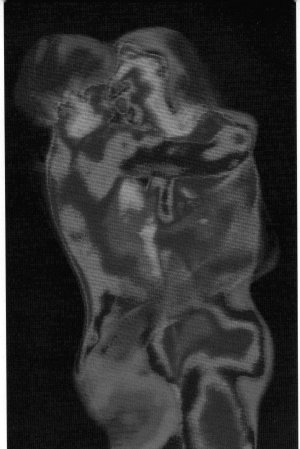

## La course

Au cours de l'acte sexuel, lorsque le pelvis de l'homme se contracte au moment de l'orgasme, ses spermatozoïdes passent des épididymes dans l'urètre, où ils se mélangent au liquide prostatique. Celui-ci contient des substances qui favorisent la progression des spermatozoïdes vers l'ovule. Ce liquide est expulsé dans le vagin, ainsi qu'un fluide visqueux provenant des vésicules séminales, reliées à l'urètre par le canal éjaculateur.

Lorsque le pénis entre en érection sous l'effet de l'excitation sexuelle, le flux sanguin augmente et les tissus érectiles (les corps caverneux) qui entourent l'urètre se gorgent de sang. Après l'éjaculation, le flux sanguin diminue et le pénis retrouve sa taille normale.

### Que le meilleur gagne !

Une nuée de spermatozoïdes envahit le vagin après l'éjaculation et prend d'assaut le col de l'utérus. C'est le début d'une compétition mettant en jeu 500 millions d'adversaires. Qui gagnera ?
Il ne suffit pas d'être plus fort et plus rapide, il faut aussi savoir trouver le chemin le plus court et le plus direct.

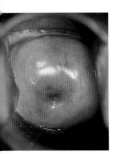
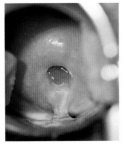
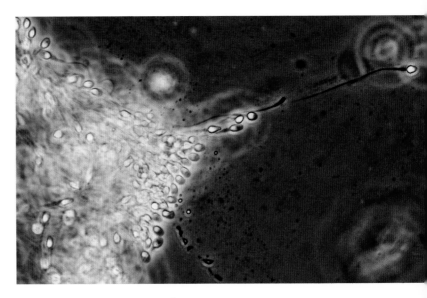

## Première sélection

Le col de l'utérus, qui fait saillie au sommet du vagin, constitue le chas de l'aiguille par lequel les spermatozoïdes ont à se frayer un passage pour atteindre l'ovule. Au moment de l'ovulation, le vagin sécrète un fluide visqueux qui a pour fonction d'opérer une première sélection des spermatozoïdes. Ceux qui sont trop faibles sont incapables de se libérer de ce mucus, et donc « disqualifiés ». Le col de l'utérus ne reste ouvert que quelques jours par mois, après quoi il est obstrué par un bouchon de mucosités qui ne laisse aucune chance aux retardataires, et ferme la porte à toutes sortes de bactéries.

## La progression vers l'utérus

Certains des spermatozoïdes qui pénètrent dans le vagin sont aussitôt expulsés, alors que d'autres restent sur sa paroi et dans les nombreux plis de sa muqueuse. Leur flagelle les propulse dans ces plis qui restent ouverts, lors de l'ovulation et au cours des jours qui suivent, sous l'effet des œstrogènes. Les spermatozoïdes progressent ainsi jusqu'à la base du col de l'utérus. Leur marge de manœuvre est courte, car le col ne s'ouvre que brièvement. Il se ferme après une unique journée, et un épais mucus empêche les spermatozoïdes d'aller plus loin.

## Un passage étroit

Une fois la première épreuve surmontée — et après avoir survécu à l'environnement acide du vagin —, les spermatozoïdes doivent se frayer un chemin dans l'étroit passage ouvert au milieu des sécrétions du col de l'utérus.

## Le moteur et le carburant des spermatozoïdes

Pour accomplir ce voyage éprouvant, les spermatozoïdes ont besoin d'énergie. Juste derrière son noyau, chacun d'entre eux est lesté de mitochondries qui consomment les substances sucrées du milieu pour lui fournir cette énergie. Les flagelles frétillants qui les propulsent sont composés d'un système de fines lamelles qui ne sont pas sans rappeler le plan en coupe d'un câble électrique (voir photo du centre).

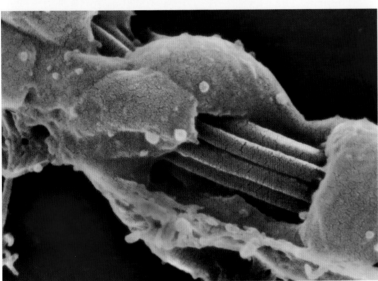

### Ovule en vue

Bien que les spermatozoïdes les plus rapides puissent atteindre l'ovule en une demi-heure, ils peuvent parfois prendre plusieurs jours. Durant le voyage, ils connaissent des changements successifs sous l'influence des substances présentes dans l'appareil reproducteur de la femme. À un moment donné, ils deviennent capables de fertiliser l'ovule. Sur la photographie de la page ci-contre, le spermatozoïde qui mène la course est tout juste visible en bas à gauche.

### Prêts pour la fertilisation

À mesure qu'ils progressent, les spermatozoïdes se modifient sous l'influence des sécrétions du système reproducteur féminin. Ils acquièrent la capacité de fertiliser l'ovule. Cette compétition longue distance peut durer de quelques heures à plusieurs jours.

## La traversée de l'utérus

Les spermatozoïdes ont un voyage long et laborieux à accomplir jusqu'à l'ovule, et beaucoup d'entre eux succombent lors du passage du col de l'utérus. Des centaines l'atteignent toutefois, mais doivent s'arrêter en chemin. On pense que certains spermatozoïdes, notamment chez les hommes jeunes et en bonne santé, peuvent rester en vie et opérationnels pendant quatre à cinq jours après un rapport sexuel.

Les ovulations alternent en principe entre les deux ovaires, mais ce n'est pas systématique. Bien que la trompe qui recevra l'ovule soit un peu plus accueillante, les spermatozoïdes naviguent au jugé. Ceux qui choisissent la « mauvaise trompe » ne rencontreront pas d'ovule.

Il faut souvent plusieurs heures à un spermatozoïde pour parcourir la hauteur du vagin et de l'utérus, soit une distance de 15 à 18 centimètres. Mais, dans de bonnes conditions, les plus performants peuvent atteindre l'utérus en une demi-heure. Les chercheurs pensent que la progression des spermatozoïdes serait facilitée par l'orgasme féminin.

On estime que 1 000 battements de flagelle sont nécessaires à un spermatozoïde pour le faire avancer de 1 centimètre environ, mais son énergie est suffisante pour qu'il nage pendant des heures. Il est à noter que ce ne sont pas toujours les spermatozoïdes les plus rapides qui fertilisent l'ovule.

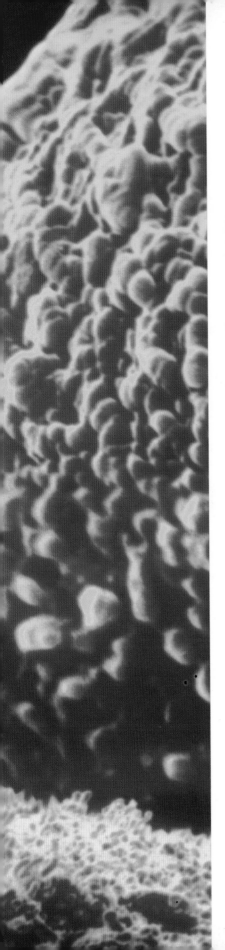

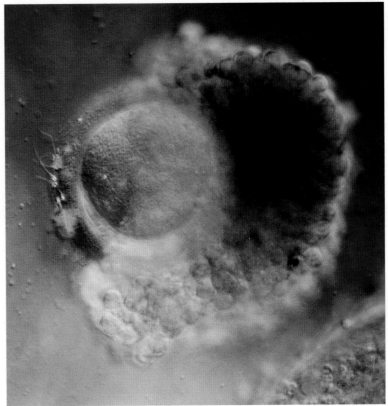

### Première rencontre

L'énorme ovule dresse sa masse imposante avant que
le premier des spermatozoïdes ne l'atteigne, après une longue
course, suivi de près par une centaine de concurrents.
L'ovule est entouré par un halo de cellules nourricières
à travers lesquelles les spermatozoïdes doivent se frayer
un passage pour accéder à la capsule de l'ovule.

*Le moment de vérité. L'énergie sera-t-elle
suffisante pour franchir la capsule ?*

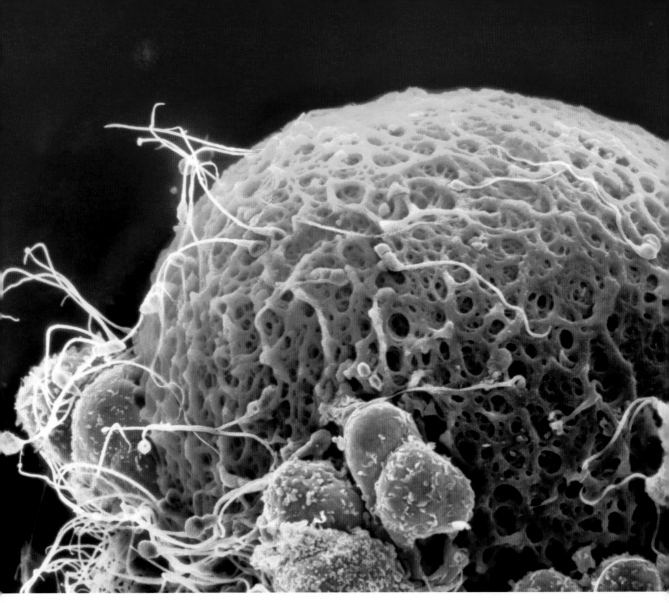

## Le « déshabillage » final

La capsule présente de nombreuses voies d'accès, trous minuscules par lesquels les spermatozoïdes peuvent s'introduire. Pour y accéder, ils doivent cependant écarter les cellules nourricières pour dénuder la surface de l'ovule. Certains d'entre eux ne survivent pas à cette opération, mais ils contribuent néanmoins au succès du vainqueur.

## À l'assaut de l'ovule

Lorsque les spermatozoïdes les plus rapides ont atteint l'ovule, le processus de fertilisation commence. Ils grouillent dans leurs efforts fébriles pour pénétrer la cellule féminine. Leur nombre n'excède toutefois pas quelques centaines à la fois, beaucoup d'entre eux étant entravés dans leurs efforts par les cellules nourricières qui entourent l'ovule.

L'intérieur de ce dernier est protégé par une solide capsule, qui n'est pas constituée de cellules mais d'une masse solide et relativement dure.

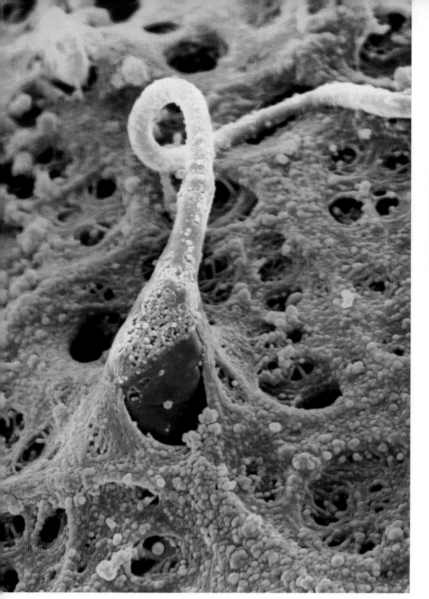

**La lutte vers le but**

Il est possible que plusieurs spermatozoïdes se fraient un passage dans la capsule au même moment. Le vainqueur sera celui qui se dépouillera le premier de l'organite qui recouvre et protège son noyau (en rouge, page ci-contre), provoquant ainsi une réaction chimique après laquelle l'ovule ne peut plus être pénétré.

Les spermatozoïdes doivent impérativement franchir cette barrière pour pénétrer dans le cytoplasme, le noyau où est stocké le matériel génétique de la femme. Comparé à l'ovule, le spermatozoïde est minuscule, mais l'information génétique stockée dans son noyau est aussi importante. Chaque spermatozoïde fonctionne comme la mèche d'une perceuse, le mouvement du flagelle le faisant tourner à la manière d'un foret. Cependant, la capsule est si épaisse et si dure qu'il est étonnant que les propulsions des flagelles suffisent à l'entamer.

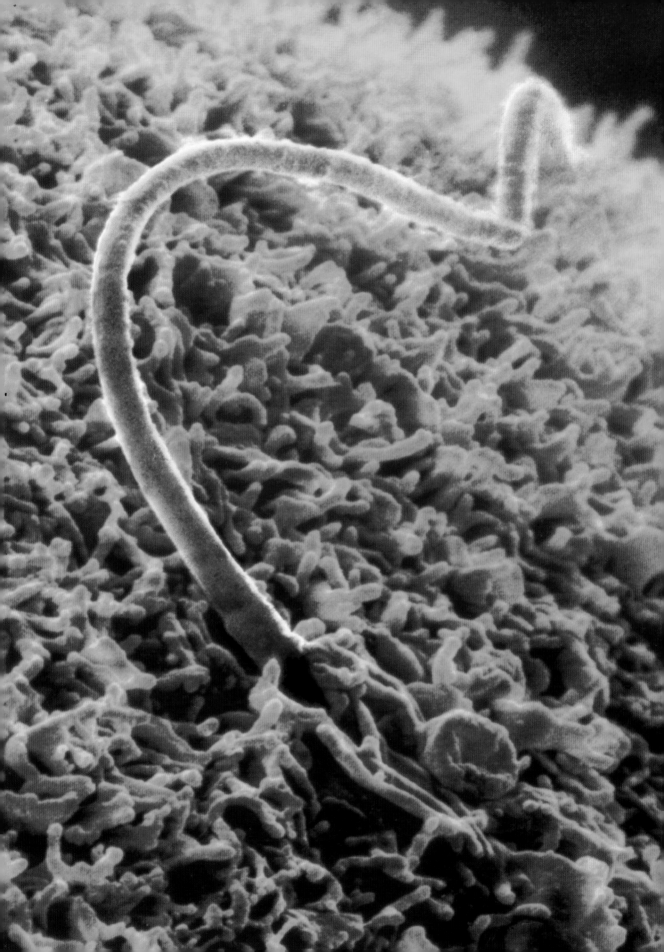

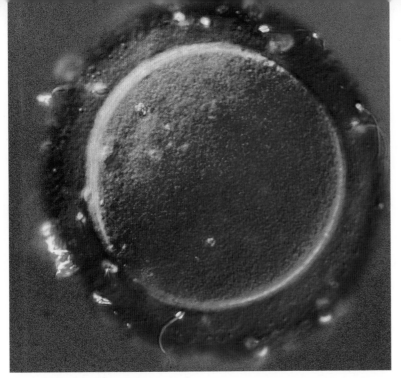

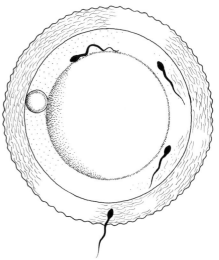

## Le dernier effort

Plusieurs spermatozoïdes ont réussi à traverser la capsule, mais un seul pourra fertiliser l'ovule. Nous pouvons observer page ci-contre de quelle manière le vainqueur prend contact avec la membrane « duveteuse » de l'œuf, dont les minuscules tentacules semblent l'aspirer pour le faire disparaître.

## Victoire !

Après trois ou quatre minutes, l'élite des spermatozoïdes a pénétré la capsule et nage dans l'espace qui la sépare de l'ovule lui-même. Soudain, l'un des spermatozoïdes s'arrête, son noyau se fixe sur la membrane de l'ovule et, en quelques minutes, il est dans la place : la victoire est consommée !

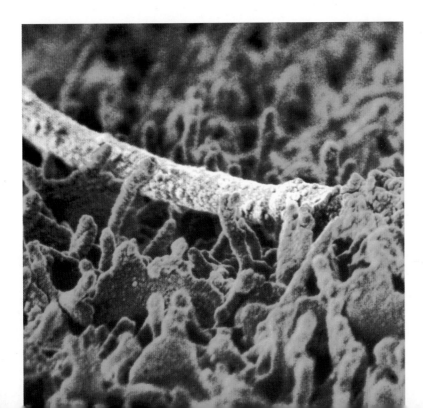

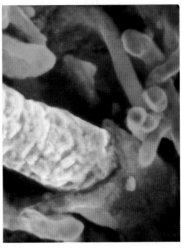

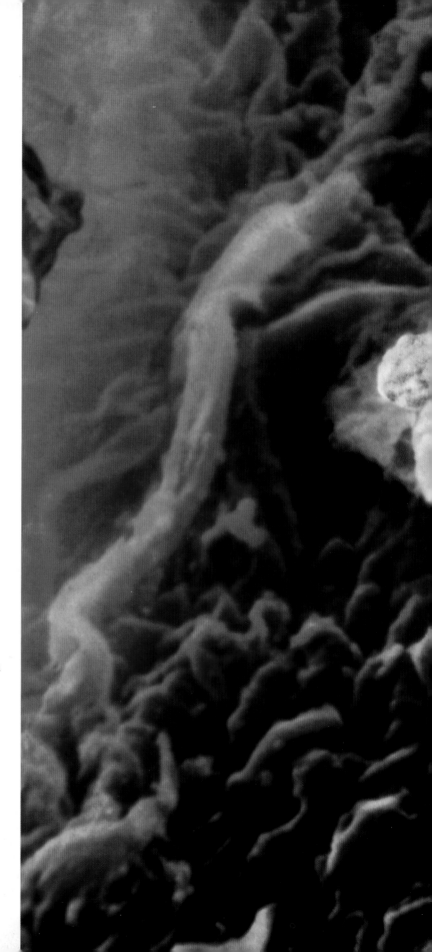

*Il est le premier parmi les millions de spermatozoïdes en course. Il a bien accompli sa mission.*

**Le vainqueur**

Le spermatozoïde a pénétré le noyau de l'ovule où est stocké le matériel génétique de la femme. Celui de l'homme est stocké dans le noyau du spermatozoïde, précédant le centriole qui jouera un rôle quand l'œuf fertilisé sera prêt à se diviser. Ce noyau va bientôt devenir autonome, se débarrassant du flagelle et de la partie intermédiaire où était stocké le « moteur » alimentant son énergie.

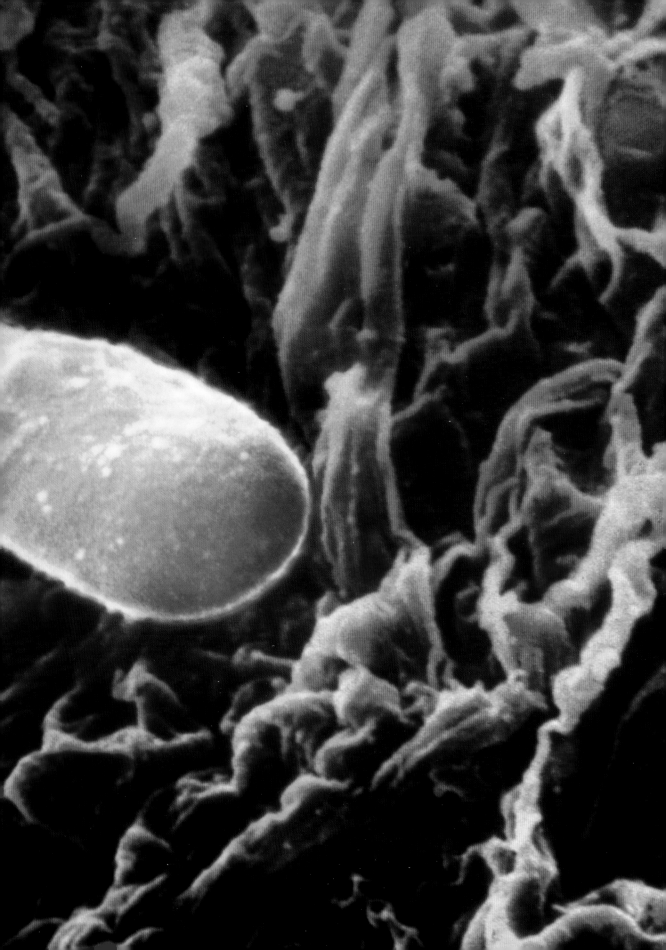

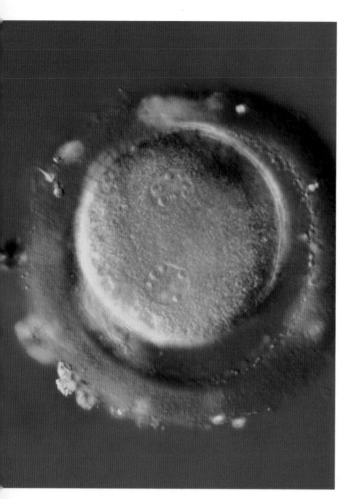
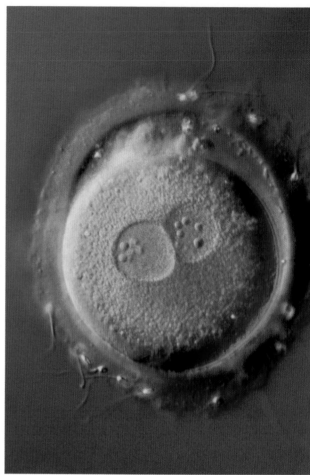

**La rencontre des noyaux**

Dans le cytoplasme de l'ovule
se trouvent désormais deux noyaux
approximativement de la même
taille. L'un d'entre eux contient
le matériel génétique de l'homme,
l'autre celui de la femme. Environ
dix-huit heures se sont écoulées
depuis le rapport sexuel.

## La naissance d'une vie

À peu près au moment où le noyau du spermatozoïde pénètre le
cytoplasme, un autre noyau se forme dans l'ovule, à l'endroit où est
stocké tout le matériel génétique de la femme. Les deux noyaux
vont maintenant se rencontrer. Pour les aider, de fins filaments se
développent entre eux à partir du centriole du spermatozoïde. Il
est aujourd'hui possible de suivre ce processus au microscope, et
l'on peut voir le cytoplasme de l'ovule tournoyer sur lui-même et
faciliter l'approche des noyaux, les filaments faisant office de gui-
des. Les noyaux, inexorablement attirés l'un vers l'autre, fusionnent
au moment de la rencontre. À cet instant, un embryon humain au
code génétique unique est créé. Ce nouvel individu est le produit de
ses parents : il possède en partie le matériel génétique de son père,
en partie celui de sa mère, les combinaisons possibles étant infinies.

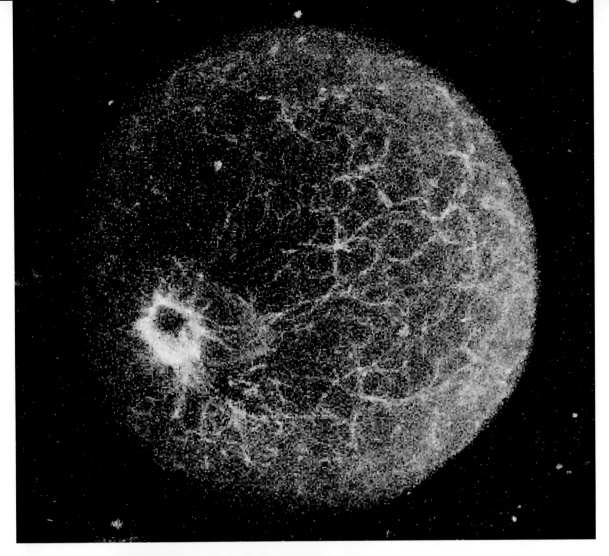

### L'attirance

L'attirance sexuelle existe aussi
au niveau des cellules : la cellule mâle
attire la cellule femelle avec l'aide des
filaments tubulaires qui se croisent à
l'intérieur de l'ovocyte comme une toile
d'araignée au soleil. La principale
fonction de ces filaments est de guider
les deux noyaux l'un vers l'autre,
et de prévenir la rencontre et la fusion
de mauvais matériaux génétiques.

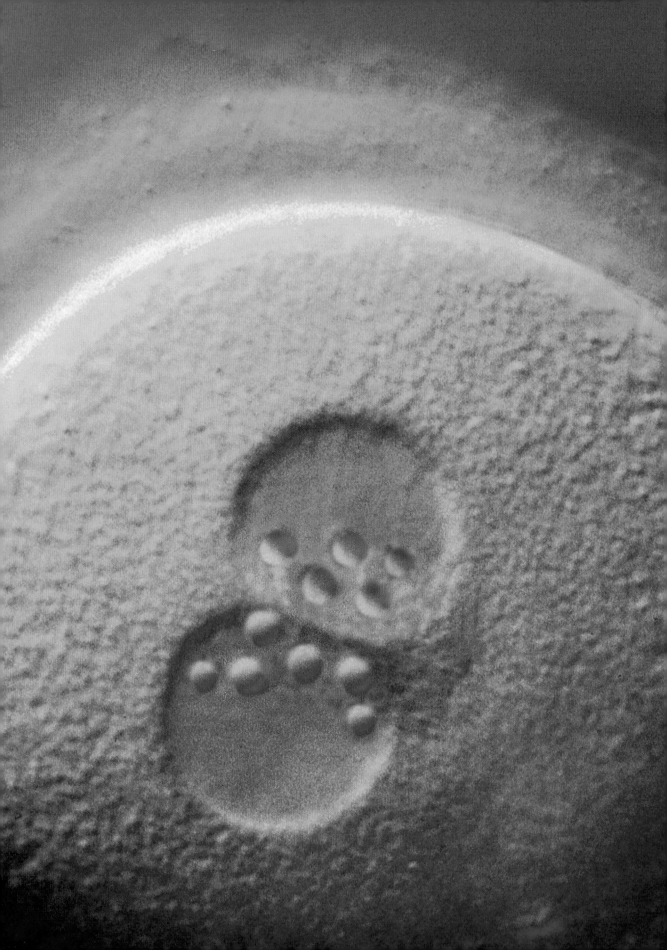

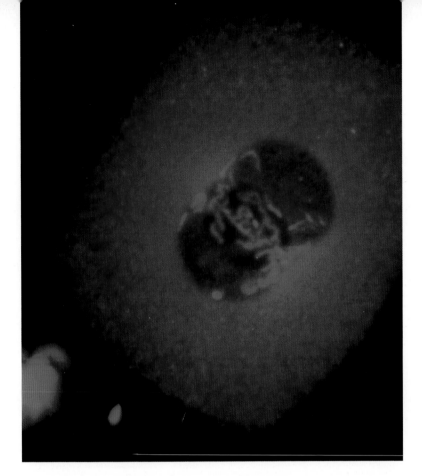

## La création d'un nouvel être humain

Aussitôt qu'un spermatozoïde a pénétré l'ovule, la composition chimique de ce dernier change brusquement, un rapide courant d'ions modifiant le courant électrique à travers sa membrane. Tous les autres spermatozoïdes sont désormais exclus. C'est essentiel, car si l'ovule était fertilisé par plus d'un spermatozoïde, les informations génétiques seraient altérées et le processus s'interromprait.

Après la fusion des noyaux, leurs parois externes se dissolvent et ils sont incorporés dans le cytoplasme de l'ovule. La fertilisation est achevée ; à l'intérieur de la capsule, il n'y a plus désormais qu'une seule cellule, à l'origine des milliards de cellules qui composeront le corps de l'être humain à naître. Elle se divise bientôt pour la première fois en deux cellules identiques. Le centriole du spermatozoïde se charge de distribuer le matériel génétique lors de cette première division cellulaire.

L'environnement de la trompe de Fallope est parfaitement adapté aux besoins de l'ovule fertilisé, ou zygote. Des nutriments l'alimentent à travers sa membrane, et la petite quantité de déchets qu'elle produit est facilement absorbée par les fluides qui l'entourent.

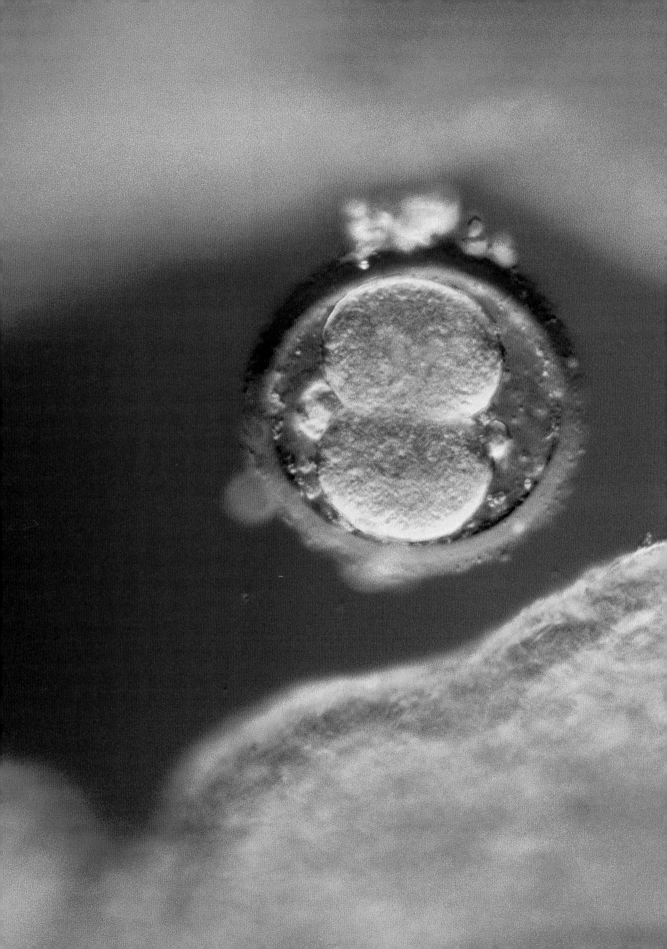

## La première division cellulaire

Pendant la fertilisation, l'ovule reste immobile dans les plis de la muqueuse de la trompe de Fallope, oscillant doucement d'avant en arrière en fonction des mouvements de la femme. Quelques jours plus tard, il commence à descendre vers l'utérus, au moment où la cellule se divise pour la première fois, créant son double à l'identique. C'est le principe de toute vie, le miracle de la création.

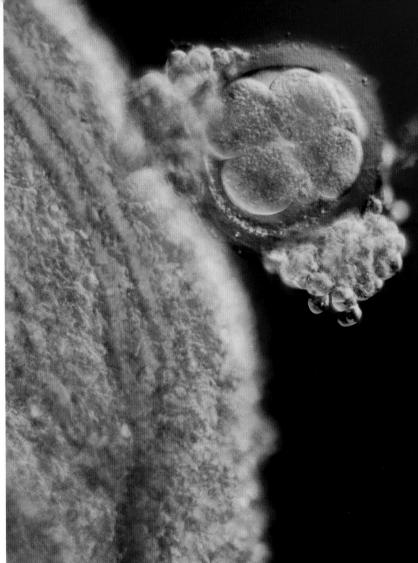

## Une mutation contrôlée

L'ovule fertilisé est doucement guidé par les minuscules cils vibratoires qui tapissent la trompe de Fallope. Cette migration est favorisée par les contractions des parois de la trompe. L'embryon, qui compte désormais quatre ou huit cellules, est toujours entouré de cellules nourricières.

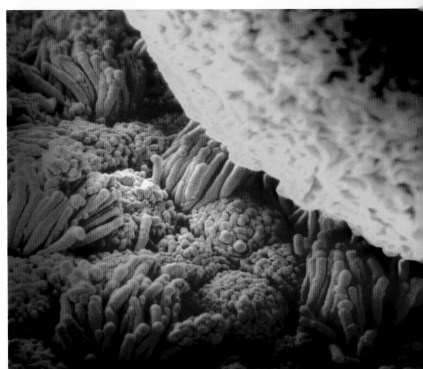

## Le séjour dans la trompe de Fallope

L'ovule fertilisé va encore rester dans la trompe de Fallope pendant deux à trois jours, au cours desquels il va se diviser à intervalles de douze à quinze heures. Quarante-huit heures après la fertilisation, les cellules sont au nombre de quatre ; vingt-quatre heures après, on en compte huit : à ce moment, il est très difficile de distinguer les cellules les unes des autres. À quatre jours, l'ovule fertilisé peut être comparé à une sorte de mûre (morula). Vingt-quatre heures plus tard, un creux se dessine dans l'amas de cellules, après quoi il prend le nom de « blastocyste ». C'est également le moment où s'établit une division des tâches entre les cellules, certaines se développant dans l'embryon, d'autres dans le placenta.

À la surface de la muqueuse de la trompe de Fallope, des millions de cils vibratoires poussent l'œuf en direction de l'utérus. Les parois des trompes sont également constituées de muscles, qui se contractent pour guider l'embryon vers l'utérus. En fait, tout est conçu pour empêcher l'ovule, qu'il soit ou non fertilisé, de tomber accidentellement dans la cavité pelvienne.

À l'endroit où la trompe se rétrécit, on trouve un dispositif semblable à l'écluse d'un canal, un muscle orbiculaire qui était légèrement contracté jusqu'alors. Quatre ou cinq jours après l'ovulation, ce muscle se détend pour laisser passer l'ovule. Sa tension et sa capacité à s'ouvrir et à se fermer sont essentiellement régulées par la progestérone des ovaires.

### Le sort des perdants

À l'extérieur de l'ovule, des spermatozoïdes luttent encore vaillamment, agitant en vain leurs flagelles, dans l'espoir d'y pénétrer. Pourtant, des mécanismes efficaces sont en place pour prévenir l'intrusion des concurrents malheureux. Ceux-ci peuvent s'obstiner plusieurs jours durant avant d'abandonner le combat et de mourir.

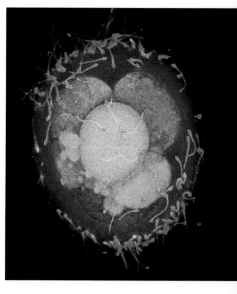

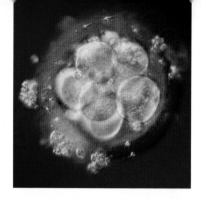

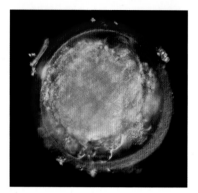

**La multiplication des cellules**

Quatre jours après la fertilisation, à l'étape dite de la « morula », l'embryon compte entre 24 et 30 cellules. Vingt-quatre heures plus tard, on dénombre entre 70 et 100 cellules.

**L'adieu à la trompe**

Le minuscule blastocyste a parcouru toute la longueur de la trompe de Fallope et il approche de l'ouverture étroite du col de l'utérus (voir ci-contre). Les cellules se divisent alors en deux groupes à l'intérieur de leur capsule. L'un d'entre eux deviendra le fœtus, l'autre constituera le placenta. Sur la photo de droite, on distingue l'embryon en haut et à gauche de l'ovule.

## L'arrivée dans l'utérus

Le voyage dans la trompe vers l'utérus ne prend que quelques heures. Le blastocyste doit progresser parmi les plis de la muqueuse, dans la partie la plus étroite de la trompe. Cette étape peut être fatale à l'embryon car, s'il s'implante sur la paroi de la trompe plutôt que dans la matrice, on aura une grossesse extra-utérine. Dans ce cas, après quelques semaines, les vaisseaux sanguins qui se sont développés entre le placenta et la paroi de la trompe peuvent se rompre. La femme commence alors à perdre du sang dans la cavité pelvienne. Dans les cas les plus graves, la tension sanguine chute et la femme s'affaiblit ; une intervention chirurgicale d'urgence est alors nécessaire. Une grossesse extra-utérine a peu de chances d'arriver à son terme, même si l'embryon se développe tout à fait normalement. Aujourd'hui, la plupart des interventions se font grâce à la microchirurgie endoscopique, et la femme ne reste à l'hôpital que pendant deux jours. Toutes les grossesses extra-utérines ne tournent pas au drame. Certaines ne nécessitent pas d'opération et peuvent être traitées par des médicaments ou ne demandent qu'une période d'observation, l'organisme évacuant lui-même l'embryon et guérissant spontanément.

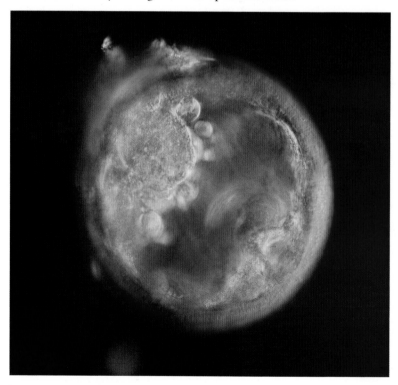

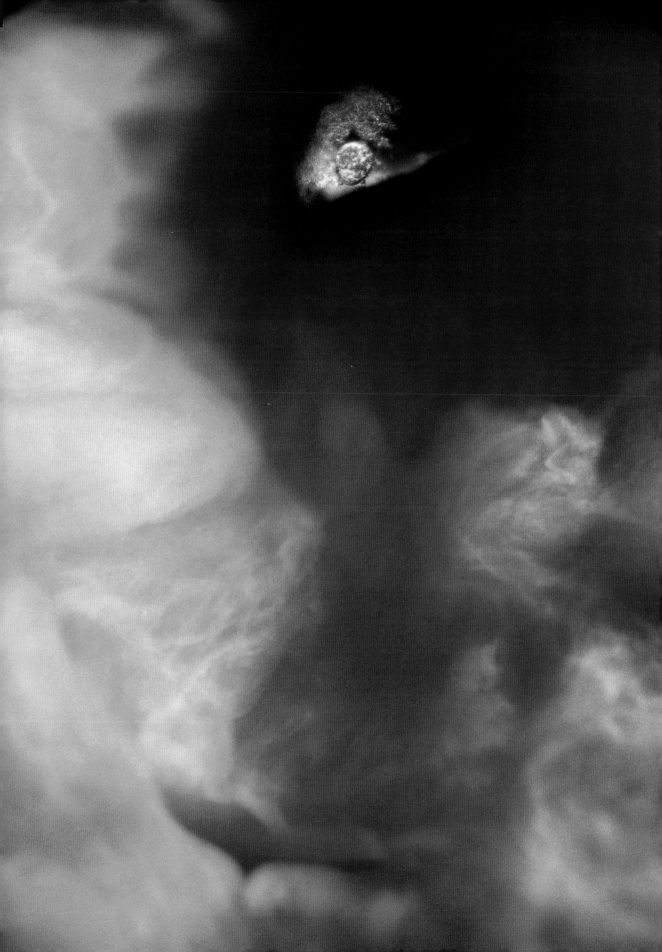

## Dans l'utérus

du 5ᵉ au 6ᵉ jour

Le voyage dans la trompe est achevé, et le blastocyste est enfin parvenu dans l'utérus. L'endroit, spacieux, prêt à l'accueillir pendant neuf mois, est bien préparé. L'endomètre a eu le temps de se développer depuis l'ovulation, pendant le temps où l'ovule était libéré par le follicule, fertilisé dans la trompe, puis acheminé vers l'utérus pour y choisir son lieu d'implantation.

Sur le plan immunitaire, le minuscule embryon qui commence à se développer est un envahisseur, avec une composition protéique totalement étrangère à celle de la mère. Normalement, des systèmes sophistiqués se mettent en place dans le corps de la femme, assurant tout au long de la grossesse que le fœtus se développera sans être rejeté. Il arrive toutefois, mais très rarement, que ces mécanismes ne fonctionnent pas ; le système immunitaire fait alors son travail et l'embryon ne peut se développer. La femme peut être parfaitement féconde, mais elle connaît des fausses couches répétées, ou « avortements spontanés ». Aujourd'hui, la médecine peut offrir aux femmes qui connaissent ce problème un traitement efficace afin que leur corps accepte l'embryon plutôt que de le rejeter.

**Le contact intime**

Cette femme et cet homme vont bientôt fonder une famille, mais ils l'ignorent encore. Dans les profondeurs du corps féminin, la vie de l'embryon débute. Il est sur le point de s'implanter dans la paroi de l'utérus.

### La nidification

L'embryon recherche un endroit pour s'implanter dans l'utérus, mais il doit avant cela se dépouiller de sa capsule. L'initiative ne provient pas des cellules du placenta, mais de celles de l'embryon qui repoussent et percutent la capsule pour s'en libérer.

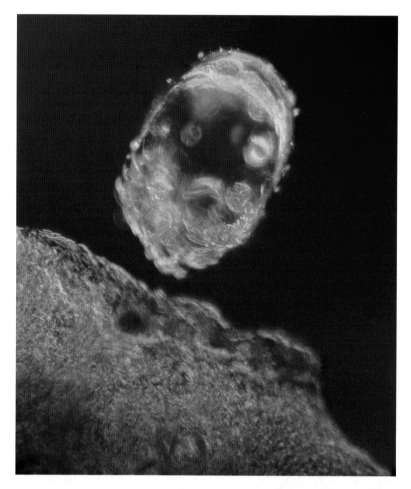

## *La rupture de la capsule*

Juste avant qu'il n'arrive dans l'utérus, l'embryon s'est dépouillé de sa capsule, un peu à la manière d'un œuf qui éclôt. Pour y parvenir, il s'est contracté et dilaté au moins trois ou quatre fois. Cette « lutte pour la liberté » peut aujourd'hui être filmée, et si l'embryon est sain et viable, il est possible de voir la capsule transparente flotter et se dissoudre à l'issue de ce processus.

Si l'extérieur de la capsule était relativement lisse et dur, la nouvelle surface de l'embryon est ridée et collante. C'est comme si l'embryon tout entier avait été plongé dans une solution sucrée. Les minuscules granules que constituent ces molécules de sucre vont se fixer sur la paroi utérine, qui possède les mêmes molécules de sucre.

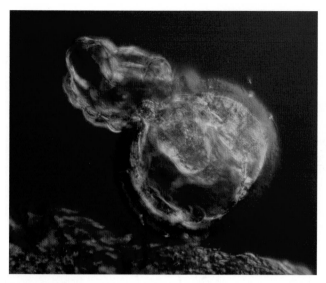

**Le repérage**

Avant de s'implanter, le blastocyste « repère les lieux » dans l'utérus. C'est un prélude obligé à la nidification.

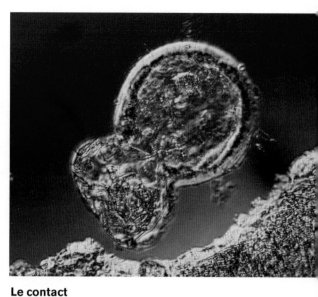

**Le contact**

La membrane de l'utérus entoure la fragile masse de cellules tout juste implantée. Le plus souvent, l'embryon élit résidence dans la partie supérieure de la matrice. La capsule est désormais dissoute.

**7e jour**

## Le 7e jour

Dès que la capsule se dissout,
l'embryon se développe
avec une grande rapidité.
Le petit envahisseur s'installe
progressivement dans
la membrane de l'utérus.

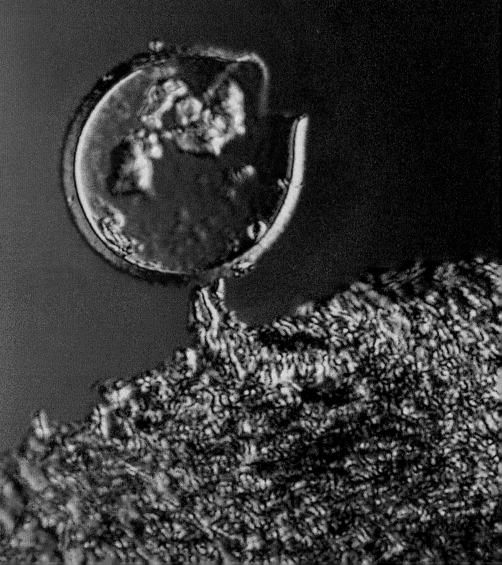

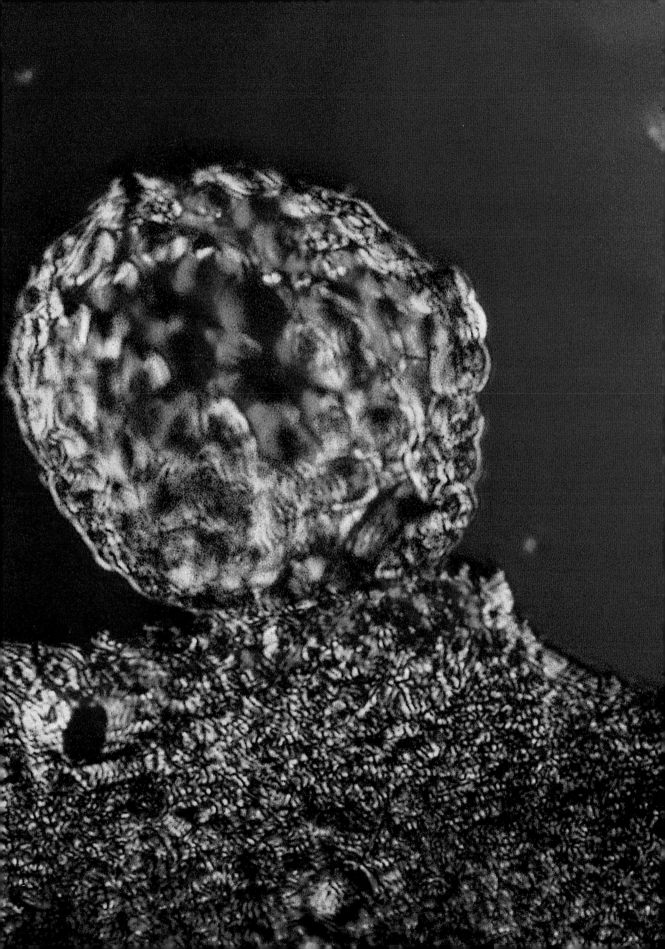

## La nidation

L'embryon semble « sélectionner » l'endroit où il va s'implanter. On pense qu'il émet des signaux chimiques auxquels l'environnement réagit en lui offrant les meilleures conditions de développement et de croissance. Aujourd'hui, de nombreux chercheurs s'interrogent quant aux facteurs qui rendent cet environnement favorable et quant à ceux qui se révèlent les plus importants lors de cette phase d'implantation. Ces recherches pourraient permettre d'améliorer les techniques de fécondation artificielle, augmentant ainsi les chances de beaucoup de femmes infertiles de mener à terme une grossesse.

Le moment du premier contact entre l'embryon et la paroi utérine est crucial, car beaucoup de facteurs doivent être parfaitement coordonnés pour que l'opération réussisse. Peu de temps après la nidation, les contacts s'intensifient. Les cellules du placenta de l'embryon sont capables de pénétrer profondément dans l'endomètre, où des échanges de substances chimiques, de nutriments et d'oxygène sont initiés. Les minuscules vaisseaux sanguins qui tapissent la paroi utérine reçoivent des signaux hormonaux délivrés par le placenta. Ces signaux informent tous les systèmes du corps de la femme qu'une nouvelle vie a commencé à se développer.

**Huit jours de vie**

Le minuscule embryon est désormais fixé à la paroi de l'utérus. Le choix de l'implantation ne doit rien au hasard. Des petits monticules se sont développés sur l'endomètre, ils émettent des substances chimiques fonctionnant apparemment comme des signaux d'invite ; faute de quoi, l'implantation ne pourrait avoir lieu.

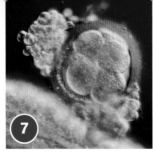

### La division des cellules

À l'intérieur de la trompe de Fallope, la cellule d'origine se divise, donnant naissance à deux cellules identiques.

**1er jour**

### Quatre cellules

Toujours entouré de ses cellules nourricières, l'œuf fertilisé progresse dans la trompe de Fallope.

**2e jour**

**3e et 4e jours**

**18 heures**

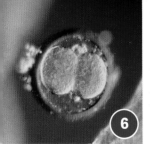

### La fusion

Les noyaux du spermatozoïde et de l'ovule se rencontrent. Leurs matériaux génétiques fusionnent, donnant vie à l'embryon.

**10 heures**

### L'ovulation

Un follicule ovarien gagne la surface de l'ovaire et un ovule à maturité est libéré, prêt à être fécondé.

### La fécondation

Le vainqueur a pénétré à l'intérieur de l'ovocyte.

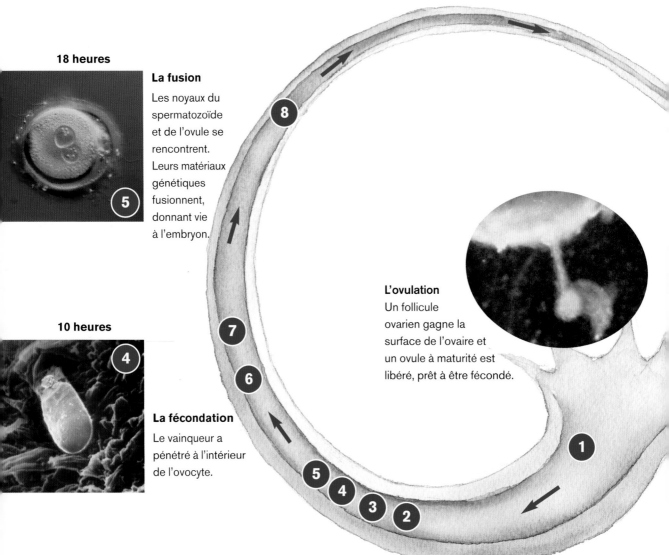

**6 heures**

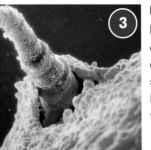

### La pénétration

Les spermatozoïdes ont atteint l'ovule et essaient de pénétrer sa capsule (à droite). Le vainqueur est visible à gauche.

**5 heures**

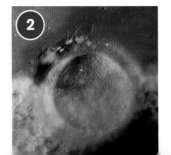

### L'expectative

Entouré de ses cellules nourricières, l'ovule pénètre dans la trompe de Fallope.

**1 heure**

### Plus de huit cellules

L'ovule fertilisé ressemble à une mûre (morula). Toutes les cellules sont encore de la même taille.

**9**

**5ᵉ jour**

### Passage obligé

Avant d'atteindre l'utérus, l'ovule fertilisé doit franchir un étroit passage à l'extrémité de la trompe de Fallope.

### Dans l'utérus

L'embryon s'est dépouillé de sa capsule pour s'implanter dans la paroi de l'utérus.

**10**

**6ᵉ et 7ᵉ jours**

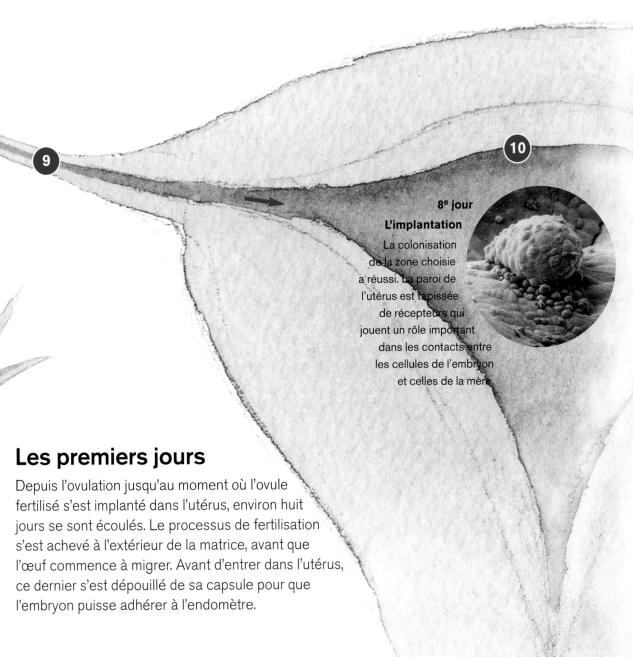

**8ᵉ jour**

**L'implantation**

La colonisation de la zone choisie a réussi. La paroi de l'utérus est tapissée de récepteurs qui jouent un rôle important dans les contacts entre les cellules de l'embryon et celles de la mère.

# Les premiers jours

Depuis l'ovulation jusqu'au moment où l'ovule fertilisé s'est implanté dans l'utérus, environ huit jours se sont écoulés. Le processus de fertilisation s'est achevé à l'extérieur de la matrice, avant que l'œuf commence à migrer. Avant d'entrer dans l'utérus, ce dernier s'est dépouillé de sa capsule pour que l'embryon puisse adhérer à l'endomètre.

# La grossesse

Dans le secret de l'utérus, durant neuf mois, une grappe
de cellules va lentement se transformer pour devenir
une petite personne prête à rencontrer le monde. Pour
les futurs parents, c'est une période d'attente, de joie
et d'anticipation. Incroyable, nous allons avoir un enfant !
Pourvu que tout se passe bien ! Sera-ce un garçon
ou une fille ?

# Les premières semaines

Une femme dont le cycle est de 28 jours ovule normalement le 13ᵉ ou le 14ᵉ jour. Si elle a des rapports sexuels durant cette période, l'ovule risque d'être fécondé par un spermatozoïde durant les vingt-quatre heures qui suivent l'ovulation ; ensuite, il suffit d'une semaine pour que l'œuf fécondé s'implante dans la paroi utérine. Dans ce cas, la femme est enceinte. Bien que vingt-trois jours environ se soient écoulés depuis le début des dernières règles, l'embryon n'est alors âgé que d'une semaine. Cependant, on a coutume de calculer la durée d'une grossesse à partir de la date des dernières règles, et non à partir de celle de l'ovulation ou du rapport sexuel. Sur cette base, la longueur de la gestation est évaluée à quarante semaines, bien qu'un enfant né à terme n'ait passé que trente-huit semaines dans la trompe de Fallope puis l'utérus. Dans ce chapitre, sauf indications particulières, la durée d'une grossesse est calculée depuis la date des dernières règles avant que la femme ne soit enceinte. Au tout début, l'âge de l'embryon est parfois formulé en jours.

## Les premiers signes

Quand une femme débute une grossesse, son cycle hormonal habituel commence à changer. Juste une semaine après l'ovulation, au moment de la conception, elle peut se rendre compte que quelque chose est différent si elle est réceptive aux signaux de son corps. Ses seins sont plus tendus, et il est possible qu'elle soit plus sensible aux odeurs. Lorsque ses règles tarderont à venir, elle aura confirmation de ce qu'elle suspectait déjà. Ces premiers signes sont à attribuer aux modifications de son équilibre hormonal, et non au minuscule conglomérat de cellules présent dans son utérus. Les femmes se sentent également souvent très fatiguées en début de grossesse, mais cet épuisement peut difficilement être causé par la présence de l'embryon.

Même avant de s'implanter, ce petit amas de cellules se divise en deux parties distinctes : l'une deviendra l'embryon, l'autre le placenta. Les cellules du placenta se fixent solidement sur la paroi de l'utérus, et certaines d'entre elles se transforment en vaisseaux sanguins qui commencent à communiquer avec ceux de la matrice. C'est de cette manière que la mère fournit à l'embryon tous les nutriments et l'oxygène dont il a besoin. C'est aussi *via* le sang de sa mère que l'embryon se débarrasse de tous les déchets produits par son métabolisme.

Certaines cellules du placenta donnent également naissance à une hormone importante, la gonadotrophine humaine (hCG), qui envoie aux ovaires et à l'hypophyse des signaux indiquant que la femme est enceinte. Ces signaux stipulent que l'ovulation n'est plus nécessaire pendant une certaine période, pas plus que la menstruation. Le corps jaune des ovaires réagit en produisant davantage de progestérone, qui atteint l'utérus par la circulation sanguine. La progestérone est l'hormone nécessaire pour que la paroi utérine se développe et apporte au fœtus l'environnement dont il a besoin.

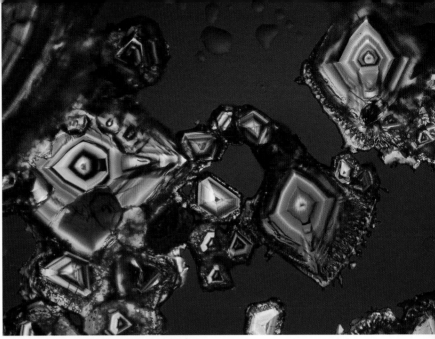

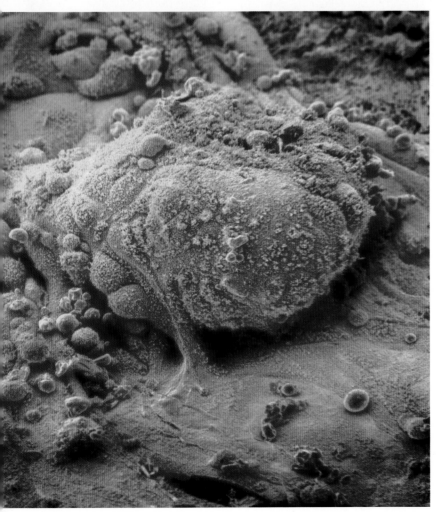

### Prémonitions

Dix jours après la fécondation, les niveaux de progestérone sanguins s'élèvent franchement (voir ci-dessus). Beaucoup de femmes sont conscientes de ce changement. Leurs seins peuvent également devenir plus tendus, plus parfois qu'en période prémenstruelle, et les nausées matinales ne sont pas rares. L'embryon vient juste de s'implanter dans la paroi utérine. (L'embryon figurant ci-contre est âgé de 10 jours.)

Au début de la 5ᵉ semaine de
grossesse, l'embryon ne mesure que
quelques millimètres, et son corps
incurvé est mou et transparent.
La moelle épinière commence
à se dessiner, ainsi que le cerveau.

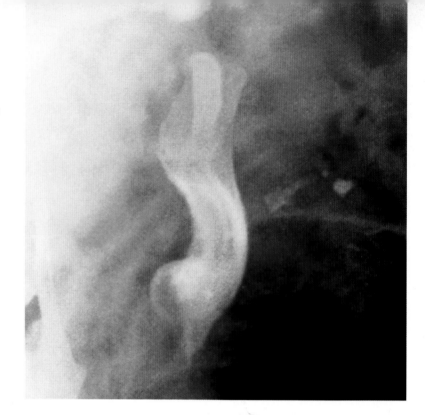

*À 22 jours, l'embryon
n'a pas de visage et son
cerveau ne bénéficie
d'aucune protection.*

## Un têtard humain

Environ une semaine après la nidation, l'embryon devient ovale,
puis prend approximativement la forme d'un ver. Pour que cela
soit possible, il doit avoir établi le contact avec le système circulatoire de la mère *via* le placenta. Un nombre non négligeable
d'embryons n'y parviennent pas, et ils sont expulsés.

Même à ce stade précoce, il est possible de distinguer une couche superficielle de cellules, qui entourent l'embryon. Ce feuillet
extérieur s'épaissit en quelques jours autour de la ligne médiane du
corps, formant deux plis entre lesquels se constitue une sorte de
tube ; à son extrémité apparaît le cerveau primitif, d'où partent des
fibres nerveuses et l'amorce de la moelle épinière.

Lorsque l'embryon atteint environ 15 jours, les premières
cellules nerveuses qui permettront à la fois de contrôler les fonctions corporelles et la conscience apparaissent. Certains considèrent que c'est le moment où débute vraiment la vie, car ces
cellules nerveuses intéresseront le cerveau, donc la pensée. Sans
elles, ni perception ni expression ne sont possibles ; elles sont
intimement liées au début et à la fin de la vie.

## Des changements rapides

La petite grappe de cellules est implantée dans la paroi de l'utérus environ huit jours après la fertilisation ; elle comporte plusieurs centaines de cellules, qui possèdent toutes le même code génétique. Pourtant, aucune d'entre elles ne possède le code entier, mais une partie seulement de ce dernier.

Dès que survient la division entre les cellules du placenta et celles de l'embryon, le potentiel de chacune des cellules est radicalement restreint. Celles du feuillet externe formeront le cerveau, la moelle épinière et les nerfs, ainsi que la peau, les cheveux, les glandes sébacées et sudoripares. Les cellules du feuillet intermédiaire participeront au développement du squelette et des muscles, des vaisseaux sanguins et lymphatiques, qui fourniront les globules du sang, ainsi que du système circulatoire et du cœur. Les ovaires ou les testicules, tout comme les reins, proviennent aussi de ces cellules. Enfin, le feuillet intérieur est composé des cellules de l'estomac, du gros intestin et de l'intestin grêle, du système urinaire, ainsi que des muqueuses du corps entier et des poumons, organes qui ne joueront pas un rôle majeur avant la naissance.

Les premiers stades du développement sont extrêmement délicats car la plus infime modification du programme peut se traduire par des dommages ou des difformités qui affecteront l'enfant à naître toute sa vie. Durant cette période, l'environnement de l'embryon est d'une grande importance. Le tabac et l'alcool ne représentent que deux des nombreux facteurs qui peuvent perturber un développement normal (voir p. 119).

Le développement de chaque organe et la manière dont il interfère avec les autres doivent se dérouler parfaitement, dans les moindres détails. En cas de défaillance sérieuse de ce processus, la nature fait son travail, et la femme a une fausse couche. Bien que les avortements spontanés puissent avoir d'autres causes, les anomalies génétiques sont les plus fréquentes. Près d'une grossesse sur cinq prend fin à ce stade, parce que l'ovule ou le spermatozoïde ne possédaient pas le matériel génétique requis. Lorsqu'une femme a des saignements et/ou des douleurs abdominales durant cette période, elle doit consulter rapidement pour en déterminer les raisons. Le début d'une fausse couche est une explication possible, mais il peut s'agir de saignements bénins qui n'ont pas d'incidence sur la grossesse.

**17 jours environ**       **20 jours environ**

    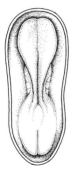

### D'un conglomérat de cellules à l'embryon

Au début de la 5e semaine, l'embryon change rapidement. En quelques jours, il se transforme, passant d'un amas de cellules à un corps oblong, où l'on peut distinguer l'amorce du cerveau et de la moelle épinière.

La tête, avec l'amorce
du cerveau antérieur

La moelle épinière,
s'achevant au bas du buste

Le cœur primitif

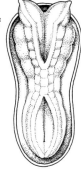

**Un être humain
à 22 jours**

L'épine dorsale de l'embryon
(vue ici de derrière) est courbe, et la
moelle épinière est ouverte à chaque
extrémité. Le feuillet externe forme
la peau qui entoure désormais le torse.

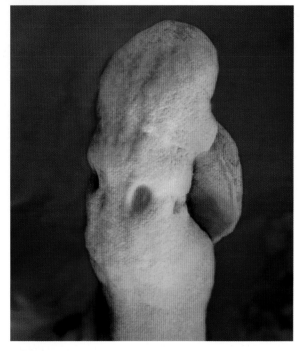

**23 jours**

Le corps de l'embryon commence à se redresser, bien
qu'il semble incliné en avant autour de son énorme
cœur. La tête est encore largement ouverte, et nous
pouvons tout juste distinguer les cellules du cerveau.

**25 jours**

Les os du crâne ont commencé à se fondre et les
« branchies » primitives font légèrement saillie au niveau
de la gorge. Les saillies à l'arrière de la tête préfigurent
les oreilles.

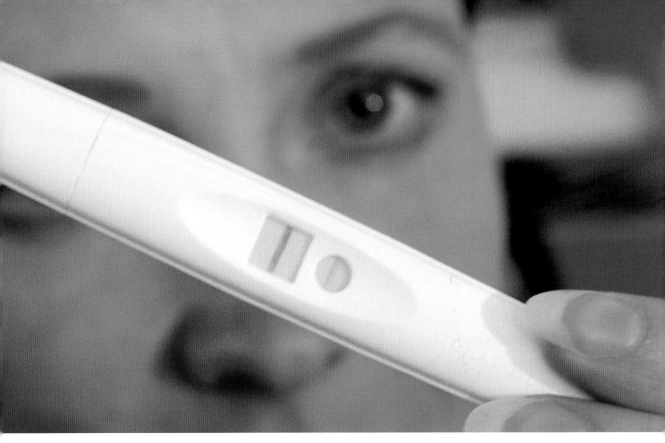

### Les tests

Il est aujourd'hui très simple de savoir si l'on est ou non enceinte. Il existe en effet des tests se composant d'un bâtonnet qui change de couleur en cas de grossesse. Ces tests peuvent être utilisés après seulement deux jours de retard de règles ; ils mettent en évidence la présence d'une hormone qui se développe rapidement dans les cellules du placenta après la fertilisation. Il s'agit de l'hormone gonadotrophine chorionique humaine (hCG), qui est libérée dans le système circulatoire et passe dans les urines après quelques jours.

Un test de grossesse réalisé à partir d'un échantillon d'urine ou de sang peut également être réalisé en laboratoire.

## *Enceinte !*

Il existe aujourd'hui des tests de grossesse simples qu'une femme peut utiliser dès qu'elle constate un retard de ses règles, ou même avant. Ils permettent de mettre en évidence la présence de l'hormone hCG, qui est particulière à la grossesse car elle ne peut être produite que par les cellules du placenta. Lorsque cette hormone commence à filtrer du système circulatoire dans les reins, il suffit d'un échantillon d'urine pour déceler la grossesse.

Bien que la date exacte ne puisse être avancée car la durée d'une grossesse n'est pas immuable, on donne généralement aux femmes une date estimée du jour de la naissance, pour des raisons à la fois médicales et psychologiques. Cette date est calculée en fonction d'une grossesse « idéale » de quarante semaines, comptées à partir du premier jour des dernières règles. Une méthode pour effectuer ce calcul consiste à repérer la date anniversaire de ce jour, de retrancher trois mois et d'ajouter sept jours. Cette méthode n'est valable que lorsque la femme a des cycles réguliers de 28 jours. Si les intervalles entre ses règles sont plus longs ou si ces dernières ne sont pas régulières, il sera plus difficile de calculer une date précise. Les gynécologues et les sages-femmes peuvent également

**Bientôt parents !**

Le petit bâtonnet du test de grossesse n'a l'air de rien, mais il signifie beaucoup de choses. L'embryon qui se développe dans l'utérus de la femme bouleversera la vie du couple.

prendre en compte la taille de l'utérus lors de la première visite prénatale, ou la date à laquelle la femme prend conscience des mouvements du fœtus, pour se prononcer. Mais, aujourd'hui, l'échographie est considérée comme la manière la plus fiable de déterminer l'âge du fœtus et la date de la délivrance.

Beaucoup de femmes sont ravies d'apprendre qu'elles sont enceintes, mais il en existe aussi qui refusent leur grossesse. Schématiquement, les statistiques démontrent généralement que ce sont les jeunes femmes de moins de 20 ans et les femmes de plus de 40 ans qui prennent le plus souvent la décision d'avorter. Le nombre d'IVG varie bien sûr d'un pays à l'autre, et est fonction de la législation en vigueur ; en France, une femme a le droit d'interrompre une grossesse jusqu'à quatorze semaines d'aménorrhée.

Dans certains pays, comme l'Irlande, où les lois sont moins libérales, les femmes ont recours aux avortements clandestins, mettant ainsi leur santé en danger. Une intervention non professionnelle peut provoquer une stérilité due à une infection. Les complications venant à la suite d'un avortement illégal représentent en outre la cause la plus courante de décès chez les femmes de 15 à 40 ans.

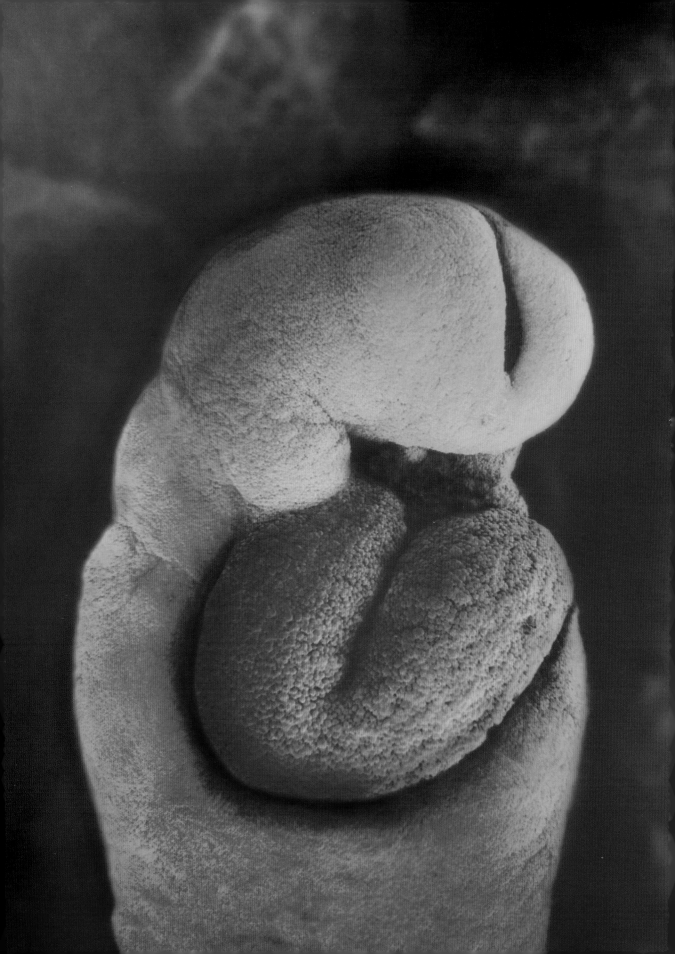

## Les premiers battements de cœur

Le cœur commence à se développer lorsque l'embryon n'est guère plus qu'un amas de cellules et, dès le 22ᵉ jour de sa vie, le tout nouveau muscle se contracte et commence à battre. Son rôle est capital dans le développement futur de l'embryon, la circulation sanguine permettant de distribuer les nutriments et l'oxygène à chacun des minuscules organes.

À ce stade, le cœur est déjà bicaméral et si gros par rapport aux autres organes qu'il donne l'impression d'être à l'extérieur du corps. Le cœur droit reçoit le sang usé et le cœur gauche libère du sang oxygéné dans le reste du corps. Après la naissance de l'enfant, l'oxygénation se fera par l'intermédiaire des poumons, mais, durant la vie intra-utérine, elle est assurée par le placenta. Il y a moins de résistance dans le système vasculaire de ce dernier que dans les poumons, et le processus s'accomplit plus vite et au prix de moins d'efforts de la part du muscle cardiaque. Le rythme cardiaque de l'embryon est très rapide, presque deux fois plus rapide que celui de sa mère, et peut être facilement écouté grâce à un appareil simple. Il est très important que le gynécologue ou la sage-femme écoute régulièrement le cœur du fœtus, dès le commencement de la grossesse et jusqu'à la naissance du bébé. La vitesse de ses pulsations constitue l'un des indices les plus fiables pour s'assurer de la bonne santé de l'enfant à naître.

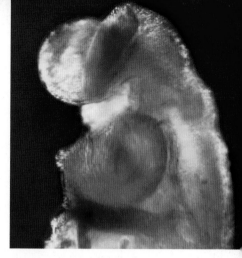

**Les premières pulsations**

Le cœur, qui joue un rôle capital dans le développement de l'embryon, se contracte subitement au 22ᵉ jour de grossesse et commence à battre (ci-dessus). Environ deux jours plus tard, les pulsations deviennent rapides et rythmiques.

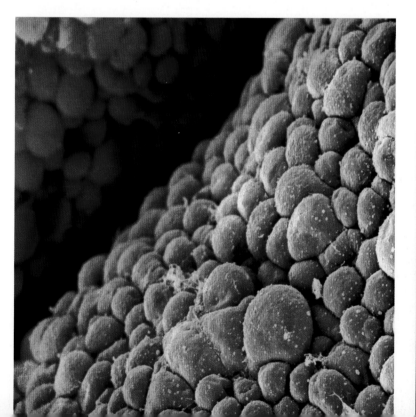

**Les cellules du muscle cardiaque**

Lorsqu'une des cellules du muscle cardiaque se contracte, celles qui l'entourent se contractent à leur tour. La pompe du cœur est enclenchée.

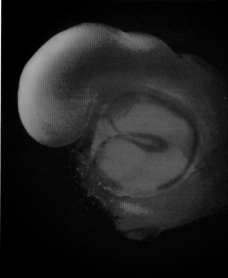

## 5ᵉ semaine

### Le monde de l'embryon

Le minuscule embryon est bien implanté dans la paroi utérine. Son corps évoque la forme d'un hippocampe, et son cœur occupe toute la place jusqu'à la tête. Le placenta, avec son réseau de vaisseaux sanguins, constitue le lien entre l'utérus et l'embryon.

**24 jours, 4 millimètres**

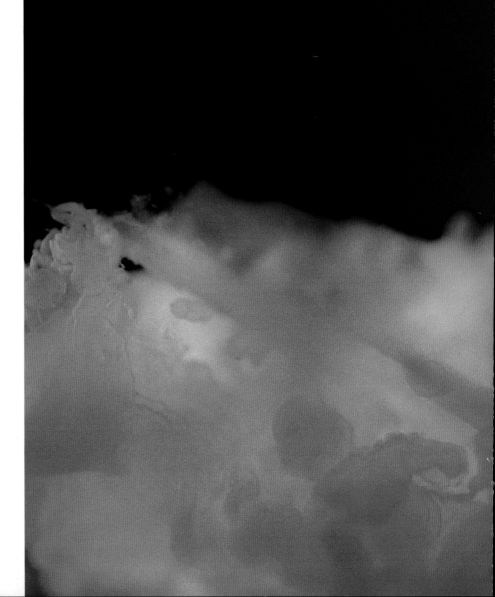

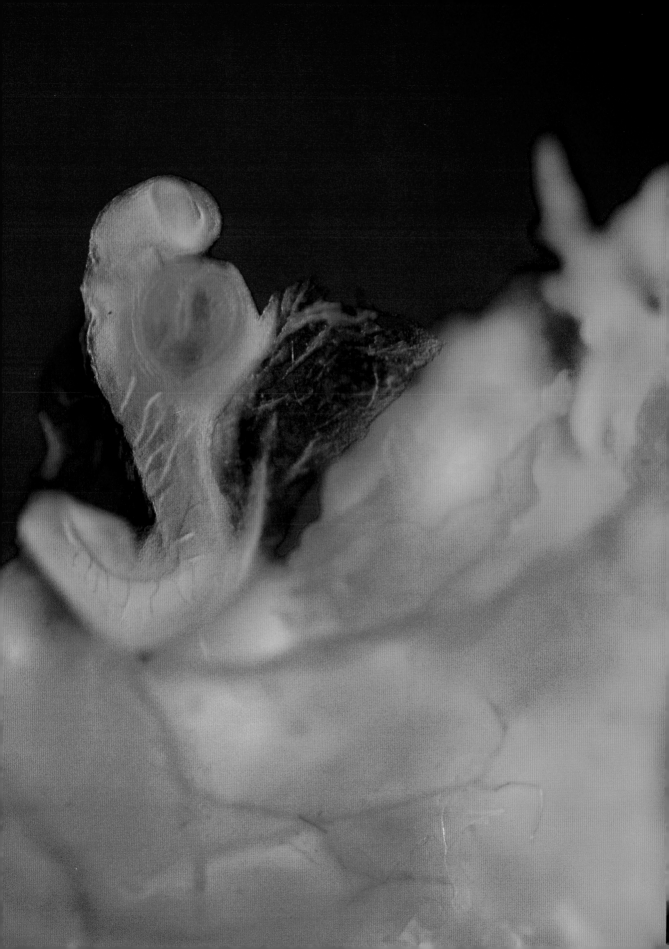

## Vue de dos

Le dos de cet embryon est tourné vers nous, et nous pouvons voir la totalité de sa colonne vertébrale, qui va du cou à ce qui sera la naissance des jambes. Le placenta est beaucoup plus gros que l'embryon, assurant un apport suffisant en nutriments durant la période critique du développement des organes. Suspendue sur la gauche comme un ballon, la membrane vitelline jouera, entre autres, un rôle important dans le développement des organes génitaux.

**28 jours, environ 6 millimètres**

## *Vous avez dit vertébré ?*

Très tôt, il devient évident que l'embryon est un vertébré. Des deux côtés de la tranchée située le long de l'épine dorsale, les vertèbres se développent à partir du feuillet intermédiaire. Elles sont tout d'abord au nombre de 32 ou 33, mais les vertèbres caudales (survivance d'un stade archaïque de l'évolution) régressent bientôt, et il n'en reste plus que 29. Parmi celles-ci, les plus proches de la tête sont dites cervicales.

Entre l'ouverture qui deviendra la bouche et le renflement du cœur, six ramifications se développent à partir de la colonne vertébrale. À ce moment, on pourrait penser qu'il s'agit de branchies, comme chez les poissons. Après un certain temps, l'une de ces « branchies » forme les mâchoires, alors que les autres deviennent le visage et le cou. Les douze vertèbres dorsales se forment, ainsi que la cage thoracique, qui s'arrondit autour de la poitrine (dans laquelle se trouvent déjà les poumons). Les vertèbres ne sont pas soudées : si elles l'étaient, le dos ne pourrait pas se courber. Elles sont solidarisées par des muscles et du cartilage.

Entre les vertèbres se trouvent des petits trous par lesquels s'échappent de minuscules faisceaux de nerfs, qui vont constituer un réseau fragile dans tout le corps. Ce réseau a deux fonctions différentes, qui sont très importantes. Le cerveau et la moelle épinière émettent des signaux vers tous les muscles, leur ordonnant de se contracter pour réaliser des mouvements. Des signaux sont également émis en direction du cerveau depuis tous les points du corps *via* la moelle épinière pour l'informer de ce qui se passe à la périphérie. Ce système de signaux ne commence pas à fonctionner correctement avant la 8e ou la 9e semaine de grossesse, quand l'embryon est âgé de 6 ou 7 semaines. Des récepteurs du toucher, de la pression, de la température, entre autres, se développent. Des impulsions nerveuses relient les yeux, le nez, la bouche et la langue au cerveau. Ainsi, la structure nerveuse qui nous permet d'exercer nos sens se construit très tôt dans la vie.

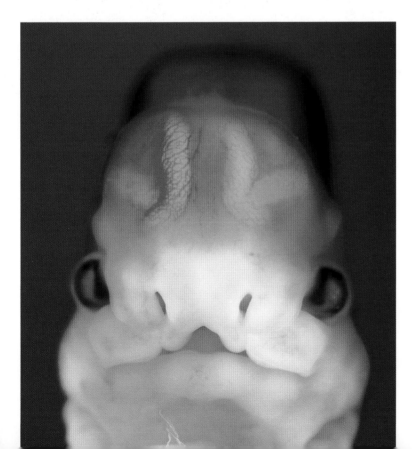

### Face à face

Nous pouvons désormais discerner les yeux, le nez et la bouche.
À ce stade, les embryons de singes, de porcs et d'êtres humains ne sont pas tellement différents, mais au cours des semaines qui vont suivre, les caractéristiques humaines deviendront de plus en plus évidentes.

**30 jours, 7 millimètres**

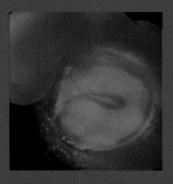

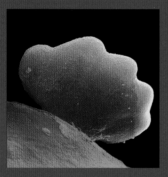

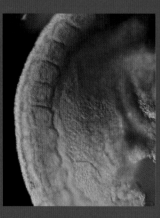

# L'embryon prend forme

L'embryon est maintenant âgé de 5 semaines ; l'étape
où il ne représentait qu'un amas de cellules est révolue.
La peau est encore peu développée, et le corps, minuscule,
est presque transparent. On distingue la tête et la queue,
le cœur, la colonne vertébrale et l'amorce des mains.

**◀ Le cœur**

Le cœur de l'embryon
bat rapidement depuis
maintenant deux semaines,
propulsant le sang dans
les tissus du corps
entier.

**◀ Les mains**

Pour l'instant, les
mains de l'embryon
ressemblent à des
pagaies. On distingue
à peine les doigts
(voir p. 142).

**Les yeux**

Bien que les yeux commencent
à se former, ils sont encore dénués
de paupières (voir p. 146).

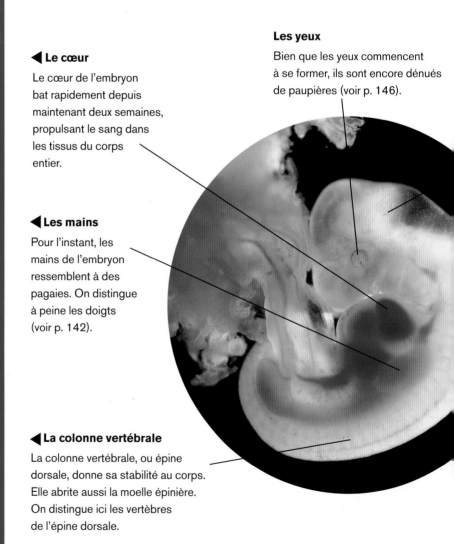

**◀ La colonne vertébrale**

La colonne vertébrale, ou épine
dorsale, donne sa stabilité au corps.
Elle abrite aussi la moelle épinière.
On distingue ici les vertèbres
de l'épine dorsale.

| Semaines | 5 | 10 | 15 |
|---|---|---|---|

| Mois | 1 | 2 | 3 |
|---|---|---|---|

## Taille approximative

Longueur : de 5 à 10 millimètres (taille de l'embryon de la tête à la base du corps, en position assise)

### Encore fragile...

Bien que la grossesse soit bien établie, il subsiste encore un petit risque de fausse couche.

### Le cerveau

La partie antérieure de la racine nerveuse a pris la forme d'une petite masse arrondie, le cerveau primitif. Des milliers de connections s'établissent entre les cellules nerveuses, et les différentes parties du cerveau se développent, se préparant à leurs fonctions spécifiques.

### Le bouchon muqueux

Depuis la fertilisation, un bouchon muqueux obstrue le col de l'utérus, protégeant la cavité des bactéries et des autres spermatozoïdes.

## Une taille doublée en une semaine

L'embryon pousse vite. Il gagne chaque jour environ 1 millimètre de longueur, et sa taille, de 5 millimètres au début de la semaine, a plus que doublé quand la mère entre dans sa 8e semaine de grossesse (la taille de l'embryon peut être mesurée grâce à l'échographie, qui permet aussi de surveiller les battements du cœur à ce stade précoce).

La photographie ci-contre a été réalisée en trois dimensions grâce à l'échographie. Elle montre clairement quel est l'aspect de l'embryon, ainsi que sa localisation et sa position dans l'utérus.

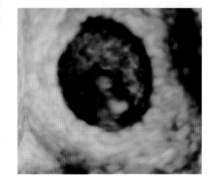

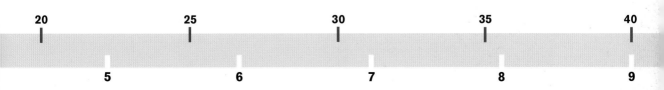

| 20 | 25 | 30 | 35 | 40 |
|----|----|----|----|----|
| 5 | 6 | 7 | 8 | 9 |

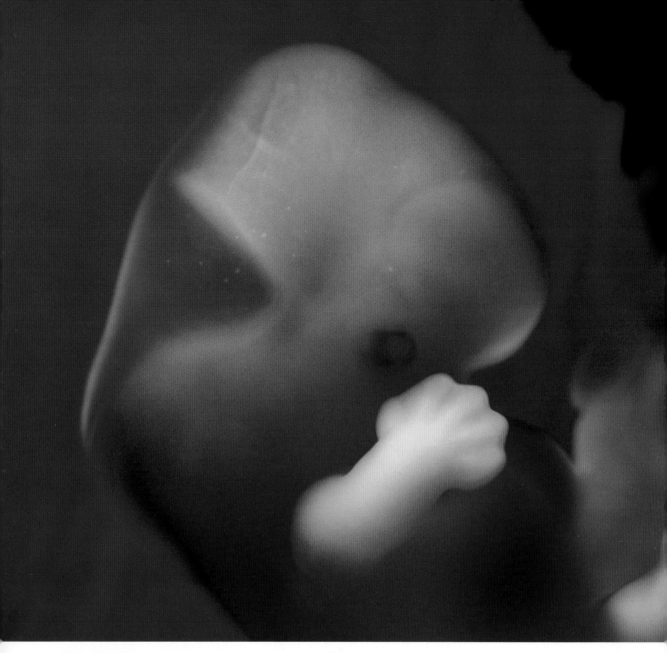

**De haut en bas**

À la 8ᵉ semaine de gestation, la tête est encore très grosse, et la partie supérieure du corps est plus importante que la moitié inférieure. Les bras et les mains sont plus développés que les jambes et les pieds, mais les doigts sont encore difficiles à distinguer.

**39 jours, 12 millimètres**

## Prendre figure humaine

À la 8ᵉ semaine de grossesse, quand l'embryon a environ 6 semaines, son apparence commence à changer. Alors qu'il ressemblait à l'embryon de n'importe quel mammifère, il commence à évoquer un être humain miniature. La tête, qui était jusqu'à présent inclinée vers l'avant, se redresse ; le corps se détend un peu. L'ossification du crâne n'est qu'ébauchée, et le cerveau est visible à travers son fin cartilage. Dans la région du front se trouvent de grosses structures rondes qui deviendront le lobe frontal et, à l'arrière, trois masses plus réduites préfigurent d'autres parties importantes du cerveau.

La tête semble énorme par rapport au reste du corps, car le développement de l'embryon se déroule de haut en bas. La croissance ne sera d'ailleurs pas achevée avant l'adolescence ; chez le nouveau-né, la tête représente encore un quart de sa hauteur totale. Pendant ce temps, beaucoup d'organes ont commencé à fonctionner : les reins produisent de l'urine et l'estomac des sucs gastriques. L'embryon a également commencé à bouger. Le premier « mouvement » visible à l'échographie est le battement rapide et régulier du cœur. Mais des petits gestes corporels apparaissent bientôt, prouvant que des impulsions nerveuses provenant du cerveau signalent aux muscles de se contracter. Cela commence par des contractions affectant tout le corps, mais, progressivement, des mouvements fractionnés apparaissent, comme celui d'une main alors que le reste du corps reste immobile.

Ces mouvements constants représentent un aspect important de la croissance et du développement normaux des muscles et des articulations. Lorsqu'un bras ou une jambe est immobilisé, par le cordon ombilical, par exemple, ou par une rupture de la poche du liquide amniotique, le développement de ce membre peut être affecté, bien que cela ne survienne que très rarement.

**Toujours en mouvement**

Même à ce stade précoce de la grossesse, l'embryon est extrêmement vigoureux, toujours en mouvement ; il ne dort que durant de brèves périodes. Les fibres nerveuses qui lui permettent de se mouvoir et de recevoir les messages sensoriels se sont étendues à ses bras et à ses jambes.

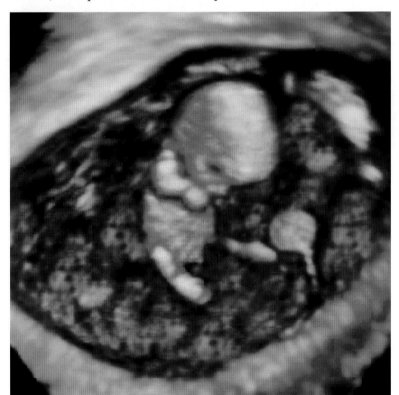

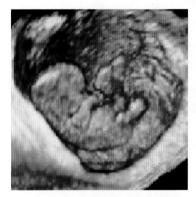

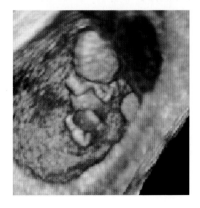

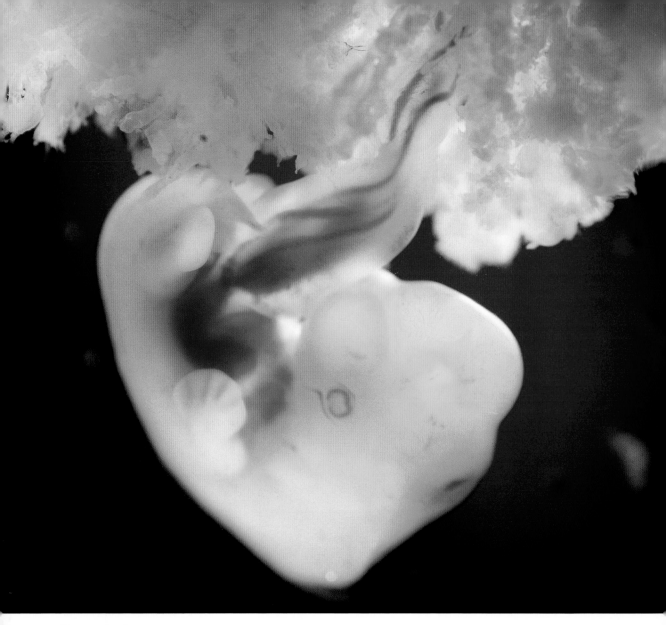

## Source de vie

Tout au long de la grossesse, le placenta est à la fois source d'oxygène et de nutriments pour l'embryon, et le réceptacle des déchets produits par son organisme.

**40 jours, 15 millimètres**

## Le rôle du placenta

Après l'implantation de l'œuf, les cellules du placenta continuent à s'étendre sur la paroi de l'utérus et à se développer en profondeur pour entrer en contact avec le système circulatoire de la mère, assurant ainsi la croissance rapide de l'embryon. Le développement du placenta est parallèle à celui du fœtus, et il continue à lui apporter nutriments et oxygène tout au long de la gestation. Les cellules du placenta sont totalement extérieures à l'embryon, bien qu'elles partagent avec lui le même code génétique.

Au début de la grossesse, le placenta commence également à produire de la progestérone, qui reste une hormone essentielle

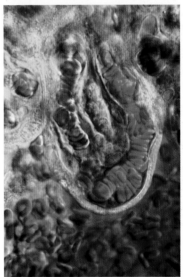

jusqu'à la naissance. Sept ou huit semaines après les dernières règles, le placenta est autosuffisant en termes d'hormones, et les ovaires cessent d'en produire. La production d'hormones du placenta est indispensable au déroulement normal de la grossesse et au bon développement de l'enfant à naître.

Ces hormones jouent également un rôle important pour déterminer le moment où les contractions de la naissance commencent. En effet, l'utérus reste détendu aussi longtemps que le taux sanguin de progestérone reste élevé ou continue à augmenter. Lorsque ce taux chute, le muscle se contracte et les premières douleurs apparaissent.

**Un système d'échanges sophistiqué**

La mère partage avec l'embryon tous les aliments consommés par le biais de son système circulatoire. La photo du haut montre un détail de l'important système vasculaire du placenta. Ce dernier alimente aussi l'embryon en oxygène. Ci-dessus : le sang appauvri (en bleu) quitte l'embryon *via* le placenta pour se recharger en oxygène dans le système circulatoire de la mère. Le sang enrichi en oxygène est rouge.

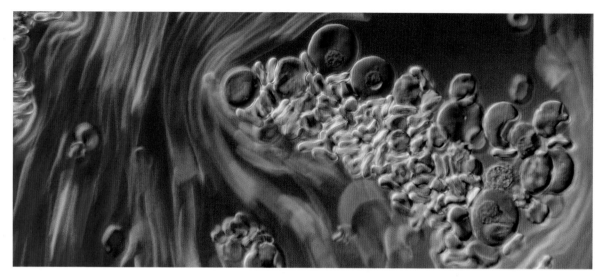

**Des millions de globules**

Dans les minuscules vaisseaux capillaires du placenta, où se déroulent les échanges de nutriments entre la mère et l'embryon, les globules du sang attendent pour se charger de l'oxygène et des substances riches en calories du sang maternel. Ils les transportent ensuite jusqu'aux organes de l'embryon. Durant la grossesse, les globules ont un noyau, qui disparaît après la naissance.

**Le cordon ombilical**

C'est par le biais du cordon ombilical que l'embryon reçoit tout ce dont il a besoin. Court et épais au début, il devient par la suite plus long, permettant à l'embryon de bouger plus librement.

**46 jours, 20 millimètres**

## *Le système circulatoire*

Très tôt, l'embryon développe un système circulatoire rudimentaire, qui s'étend petit à petit pour permettre au sang de circuler de l'aorte jusqu'aux fins vaisseaux capillaires des organes, et du foie jusqu'au cœur. Les poumons ne fonctionnant pas, tous les nutriments et l'oxygène proviennent du sang de la mère par l'intermédiaire du placenta. Ce dernier est relié à l'embryon par le cordon ombilical, qui contient trois vaisseaux sanguins : le plus gros apporte le sang oxygéné chargé de nutriments, les deux plus petits évacuent le sang appauvri et chargé de déchets. Il est important de savoir qu'il existe deux systèmes circulatoires distincts : les cellules sanguines de l'embryon n'entrent pas dans le sang de la mère, pas plus que les siennes ne pénètrent dans le sang de l'embryon. Il s'agit d'un mécanisme très précis. La majorité des substances absorbées par la mère ne passent pas le filtre du placenta ; c'est la raison pour laquelle une femme enceinte peut prendre certains médicaments sans que le fœtus en soit affecté. D'autres substances ne sont pas filtrées par le placenta, et peuvent être dangereuses pour l'enfant à naître. L'alcool en est l'exemple le plus classique.

Ni les virus ni les bactéries ne passent le filtre du placenta, sauf dans des cas exceptionnels. C'est surtout important pendant la première moitié de la grossesse, quand le système immunitaire du fœtus est encore mal développé. Vers le 5e mois de gestation, il commence pourtant à fonctionner, mais il faudra attendre longtemps avant qu'il soit aussi performant que celui d'un adulte.

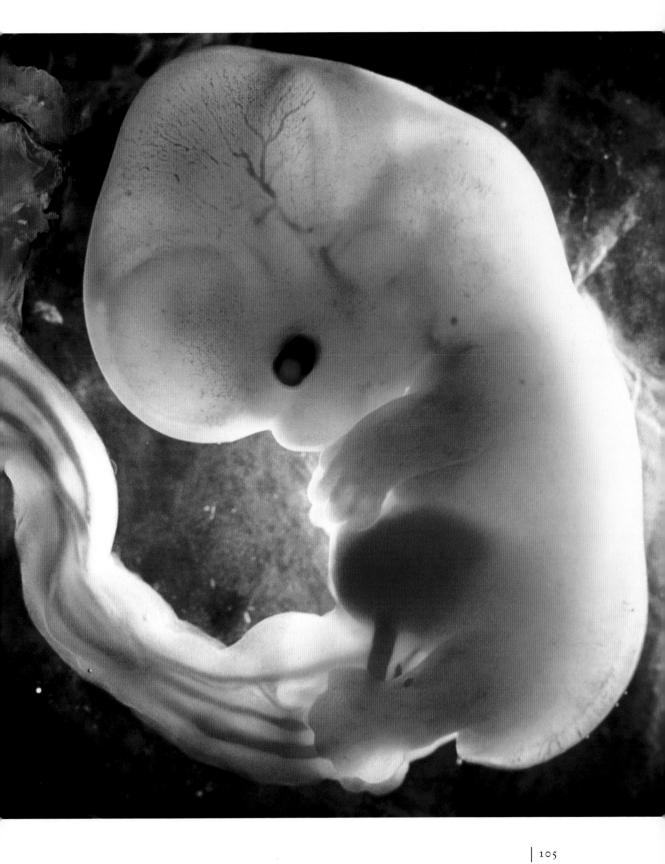

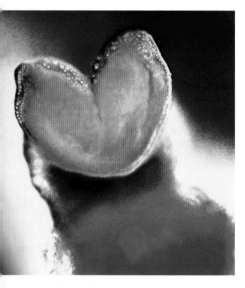

**L'ossification du crâne**

Le cerveau primitif n'est pas protégé, mais cet organe important et fragile est bientôt recouvert par les os du crâne, même si ces derniers ne sont pas joints pour laisser au cerveau la place de se développer. Ci-dessus, la tête d'un embryon à la 5e semaine ; ci-dessous, à la 10e semaine.

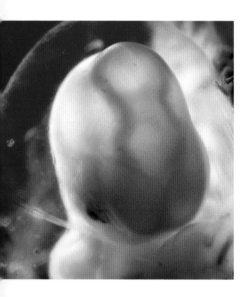

## *Le cerveau*

Quelques semaines seulement après la fertilisation apparaissent les premières cellules nerveuses, de forme arrondie au début. Petit à petit, des axones se développent à partir de ces cellules, établissant le contact avec d'autres cellules nerveuses ou avec différents récepteurs, comme les muscles, auxquels ils apportent des informations. Ces informations sont transmises essentiellement par impulsions électriques, avec un transfert chimique aux points de contact.

Parmi les substances responsables de ce transfert chimique figure la noradrénaline, qui relaie rapidement l'information aux muscles et aux autres parties du corps. La dopamine et l'adrénaline sont d'autres transmetteurs chimiques de la même famille. Une autre substance, l'acétylcholine, transmet l'information vers l'estomac et les intestins, mais elle ne commence à fonctionner que plus tard dans la vie du fœtus. Bien que ses effets soient beaucoup moins rapides que ceux des hormones précédemment citées, ils n'en sont pas moins efficaces.

Les nerfs de l'embryon sont extrêmement sensibles aux toxines, notamment pendant leur période de développement. Si, par exemple, l'embryon est exposé à de grandes quantités d'alcool à ce stade précoce de son développement, les dommages peuvent être irréversibles.

Un bon développement du cerveau est indispensable à la croissance du corps, et pour que les bras et les jambes commencent à se mouvoir normalement. Les cellules nerveuses souches de l'embryon et leurs axones parallèles se développent tôt et peuvent être comparés à un réseau de télécommunication grâce auquel des informations complexes sont transportées à grande vitesse dans le corps. Peu à peu, les différentes parties du cerveau se différencient de plus en plus nettement en fonction de leurs tâches respectives. Certaines d'entre elles reçoivent des informations sensorielles, comme la douleur, d'autres sont responsables de la vue et de l'ouïe, d'autres encore gouvernent les mouvements, qui deviennent progressivement mieux orientés et mieux coordonnés.

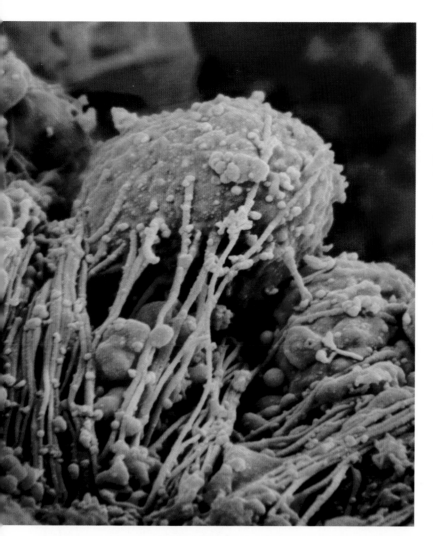

### Les cellules nerveuses primitives

Cellules nerveuses d'un embryon de 23 jours. De fines excroissances (les axones et les dendrites) s'en détachent, s'efforçant d'entrer en contact avec les cellules avoisinantes. À gauche, les dendrites d'une cellule transmettent l'information à une autre cellule.

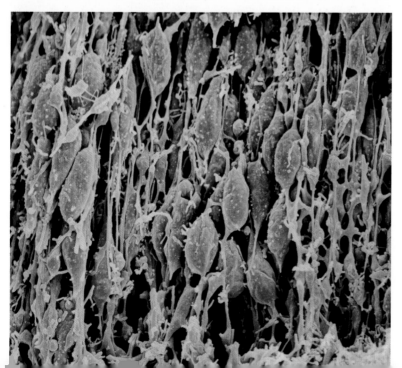

### Échanges d'informations

Les cellules nerveuses du cerveau d'un embryon de 8 semaines sont construites comme le standard d'un ancien réseau téléphonique, mais elles fonctionnent beaucoup mieux et ont une efficacité nettement supérieure. Leurs connexions et leur capacité à échanger de l'information sont de plus en plus performantes.

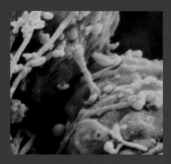

**10e
semaine**

# L'embryon devient fœtus

Au début de la 10e semaine de grossesse (56 jours après la conception), le stade embryonnaire s'achève. Le cœur bat depuis un mois, et les muscles du torse, des bras et des jambes ont commencé à se mouvoir. Tous les organes sont en place, même s'ils sont encore petits et immatures, et bien que leurs fonctions ne soient pas coordonnées. L'embryon devenu fœtus a dépassé avec succès le premier stade de la grossesse et va continuer à se développer pour devenir un bébé viable.

◀ **Le cerveau**

Le nombre des cellules cérébrales augmente rapidement, et leurs connexions sont de plus en plus nombreuses.

◀ **Le cordon ombilical**

Lien essentiel entre la mère et le fœtus, il contient trois vaisseaux sanguins (une artère et deux veines) chargés d'apporter les nutriments et d'évacuer les déchets.

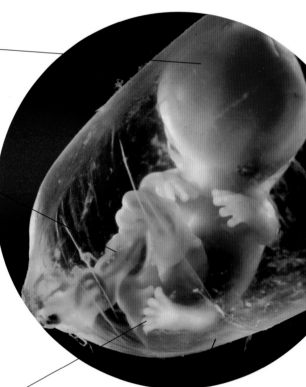

◀ **Les pieds**

Les pieds se sont développés après les mains ; désormais, même les orteils commencent à prendre forme (voir pp. 142-143).

**La poche des eaux**

Le fœtus flotte dans une poche remplie de liquide amniotique. Celle-ci est entourée d'une membrane plus solide, pour protéger le fœtus.

| Semaines | 5 | 10 | 15 |
|---|---|---|---|

| Mois | 1 | 2 | 3 |
|---|---|---|---|

## Taille approximative

Longueur : de 23 à
30 centimètres (taille de
l'embryon de la tête à la base
du corps, en position assise)
Poids : de 10 à 15 grammes

### Les signes physiques de la grossesse

À l'examen gynécologique,
l'utérus est plus grand et plus
mou que celui d'une femme
non enceinte.

### Un endroit à lui

Le fœtus se sent chez lui dans le milieu
préservé de l'utérus. Le placenta, qui
s'est étendu le long de la paroi interne
de la matrice, produit toutes les
hormones nécessaires à son confort et
à son développement. Les ovaires ont
cessé de produire de la progestérone.

### Des jumeaux ?

L'échographie révélera s'il y a plus d'un fœtus dans
l'utérus. Les jumeaux peuvent partager le placenta
ou en avoir chacun un. La plupart d'entre eux ont des
poches des eaux individuelles, mais il arrive qu'il n'y en
ait qu'une. Il est encore difficile à ce stade de distinguer
les différents organes à l'échographie, mais l'activité
cardiaque est une bonne indication de viabilité,
tout comme les mouvements erratiques du fœtus.

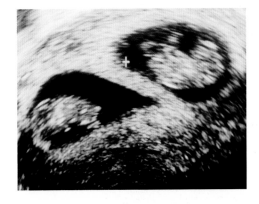

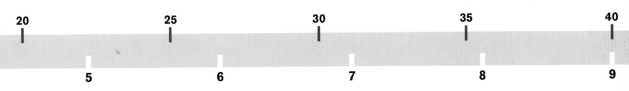

| 20 | 25 | 30 | 35 | 40 |
|----|----|----|----|----|
| | 5 | 6 | 7 | 8 | 9 |

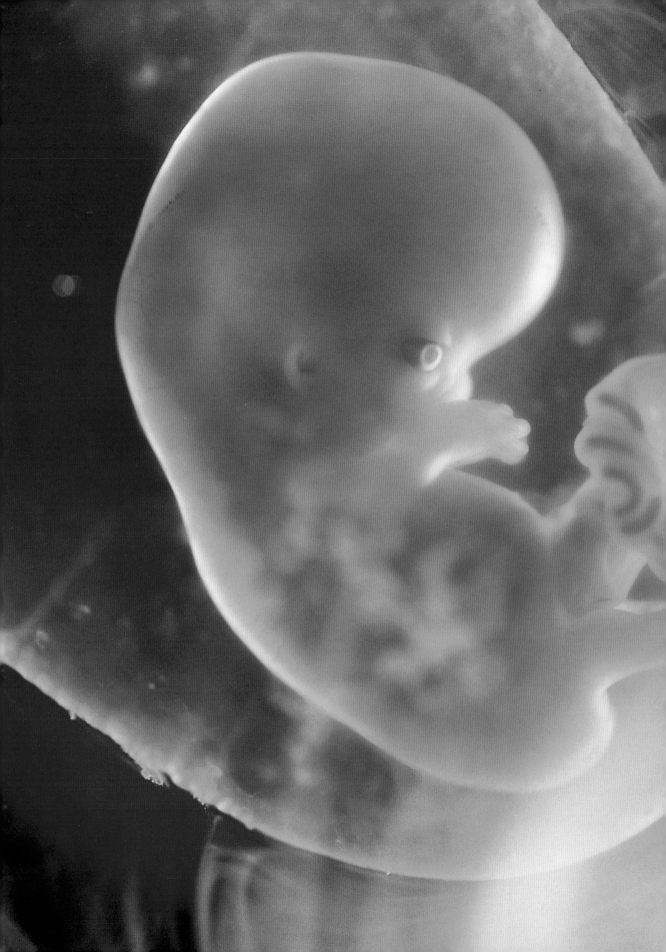

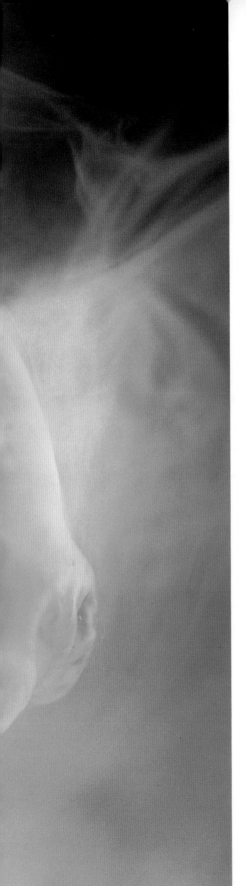

## Adieu à l'embryon

Le délicat processus de la formation des organes est achevé.
La mère entre dans son 3ᵉ mois de grossesse, et pour le fœtus,
qui a maintenant une apparence très humaine, il s'agit désormais de grandir et d'affiner ses capacités pour se préparer à la
vie hors de l'utérus. Il dispose encore de sept mois pour se
développer dans son environnement protégé.

### Retour à l'océan

Les origines de la vie se trouvent dans
les océans, et le nouveau fœtus flotte dans une
mer intérieure dont les conditions de salinité et
de température sont optimales. Huit semaines
se sont écoulées depuis la conception,
et l'on commence à distinguer ses doigts.

## Première visite à l'hôpital ou à la clinique

Vers 10 ou 12 semaines de grossesse, il est temps de prendre rendez-vous dans l'établissement choisi pour l'accouchement, où le couple rencontrera l'équipe médicale. Les futurs parents sont souvent très curieux, et on leur posera aussi de nombreuses questions. Parmi celles-ci, on demandera à la femme comment s'est déroulé le début sa grossesse et, le cas échéant, comment se poursuit sa vie professionnelle. Les réponses à ces questions apportent des informations indirectes sur l'état de santé de la mère, sur sa fatigue ou sur d'éventuelles nausées matinales. Les anciennes maladies, les prescriptions médicales et les vaccinations feront également l'objet d'un questionnaire détaillé.

Les questions de part et d'autre seront d'autant plus nombreuses qu'il s'agira d'une première grossesse. Être enceinte pour la première fois est une expérience nouvelle, et la future mère s'interrogera souvent sur la naissance. Lorsque la femme a plus de 35 ans (ce qui devient très courant dans les pays occidentaux) des examens plus approfondis seront entrepris. Après cet âge, les risques d'aberrations chromosomiques augmentent légèrement, notamment avec le syndrome de Down. Aujourd'hui, il existe toutefois différents examens permettant un diagnostic prénatal de désordres génétiques chez le fœtus (voir pp. 126-127).

La sage-femme se renseignera au besoin sur les précédentes grossesses, ainsi que sur les IVG ou fausses couches éventuelles. Si la femme a déjà des enfants, il est important pour l'équipe médicale de savoir comment se sont déroulées les précédentes grossesses et si tout s'est passé normalement.

Si la femme a eu un précédent enfant par césarienne, on lui demandera le plus de détails possibles au sujet de l'intervention. Si celle-ci a été réalisée parce que son bassin a été jugé trop étroit par rapport à la taille du bébé, la prochaine naissance devra être soigneusement planifiée. Peut-être une césarienne sera-t-elle nécessaire, mais il est possible que la femme accouche par voie vaginale si l'enfant est plus petit. Il existe d'autres raisons possibles pour qu'une césarienne ait été pratiquée, une détresse fœtale dans l'utérus, par exemple. Dans ce cas, il n'y a pas vraiment lieu de redouter le même problème, et il est possible d'envisager une délivrance normale. Toutefois, tout est prêt pour intervenir d'urgence quand une césarienne a été pratiquée lors d'une précédente naissance.

**Dans de bonnes mains**

Les femmes enceintes sont souvent impatientes lors de leur première visite à la maternité. Elles ont mille questions à poser au sujet de leur grossesse. Les obstétriciens et les sages-femmes sont formés pour répondre à toutes leurs interrogations, et ce rendez-vous a généralement pour effet de les rassurer.

## La santé de la mère

La santé du fœtus dépend de celle de la mère. Pour cette raison, on pratique des examens précis lors de la première visite à la maternité. Il est notamment important de prendre la tension de la femme et de s'assurer qu'elle n'a pas de protéines dans ses urines.

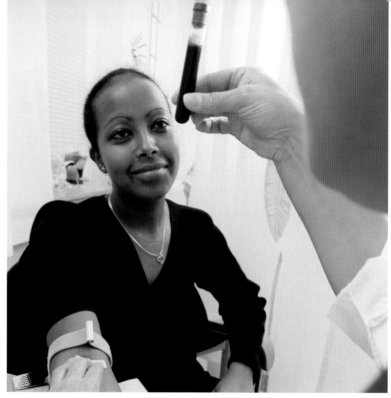

## *L'examen de la mère et de l'enfant*

Lors du premier rendez-vous, un échantillon d'urine est prélevé pour vérifier l'absence de protéines. Dans le cas contraire, des examens complémentaires doivent être menés. L'analyse du sang permet de déterminer le groupe sanguin de la femme, et de savoir si elle est immunisée contre la rubéole et la toxoplasmose, si elle est atteinte de la syphilis ou si elle est porteuse du virus du sida ou de l'hépatite. La gonorrhée et la chlamydiose sont également recherchées, notamment chez les jeunes femmes. Le consentement de la femme est toujours requis avant les tests.

La capacité du sang à acheminer l'oxygène étant particulièrement importante durant la grossesse, on la contrôle en mesurant le taux d'hémoglobine sanguin. Ce dernier est ensuite régulièrement vérifié jusqu'à la fin de la grossesse. La production d'hémoglobine dépend des apports en fer, aussi est-il très important qu'une femme enceinte absorbe suffisamment de fer, soit dans son alimentation, soit sous forme de compléments.

La tension sanguine est également contrôlée tout au long de la grossesse. Une tension trop élevée provoque un stress excessif, qui peut menacer à long terme la mère comme le fœtus. Le meilleur traitement est généralement le repos, mais certains médicaments peuvent être prescrits.

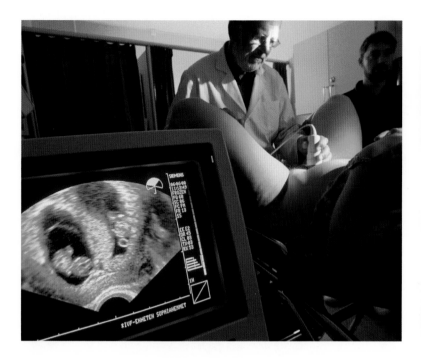

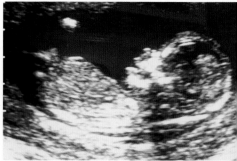

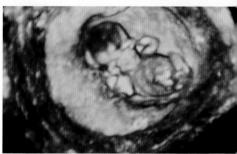

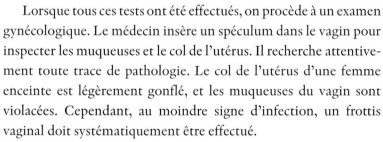

**La première échographie**

S'il existe un doute quant à la durée de la grossesse, le premier rendez-vous s'achève souvent par une échographie. Les ovaires sont également examinés, à la recherche de kystes.

Lorsque tous ces tests ont été effectués, on procède à un examen gynécologique. Le médecin insère un spéculum dans le vagin pour inspecter les muqueuses et le col de l'utérus. Il recherche attentivement toute trace de pathologie. Le col de l'utérus d'une femme enceinte est légèrement gonflé, et les muqueuses du vagin sont violacées. Cependant, au moindre signe d'infection, un frottis vaginal doit systématiquement être effectué.

Le praticien introduit ensuite deux doigts dans le vagin, en direction du col de l'utérus, tout en exerçant une pression avec son autre main sur le ventre de la femme pour avoir une idée de la taille de l'utérus et pour vérifier que la paroi utérine est bien lisse. Il vérifie aussi que les ovaires semblent normaux.

Le médecin examine soigneusement la poitrine de la femme. Une certaine expérience est nécessaire pour distinguer les glandes mammaires, déjà hypertrophiées, d'éventuelles tumeurs. En cas de doute, il peut être amené à demander une échographie, examen qui peut être effectué à tout moment de la grossesse sans risque pour le fœtus. Les échographies des seins sont également devenues très courantes.

### Les problèmes d'appétit

Pour beaucoup de femmes, les premiers mois de la grossesse ne sont pas tout roses. L'homme de leur vie mange avec appétit alors qu'elles se sentent faibles et nauséeuses. Elles picorent leur nourriture et peuvent même être malades à la simple odeur des aliments.

## *Les petits soucis*

Au cours des premiers mois de la grossesse, les seins sont souvent tendus, et beaucoup de femmes souffrent de fatigue chronique. Les seins peuvent devenir douloureux quelques jours après l'ovulation, et ce de manière plus prononcée que durant la période prémenstruelle. De nombreuses femmes ont également un petit appétit et éprouvent des nausées, notamment le matin. Ces sensations désagréables peuvent commencer après quelques semaines de grossesse seulement. La femme peut se révéler incapable de prendre un petit déjeuner normal, ou trouver que son café a un goût bizarre. Elle peut devenir hypersensible à toutes sortes d'odeurs, notamment aux odeurs de cuisson et à celle de la fumée de cigarette.

Certaines femmes ont tellement de nausées durant les deux ou trois premiers mois de leur grossesse qu'elles perdent du poids parce qu'elles rendent à peu près tout ce qu'elles réussissent à avaler. Très rarement, une femme enceinte doit être hospitalisée pour rompre ce cercle vicieux. Il n'existe pas de traitement vraiment satisfaisant pour les nausées matinales sévères. De plus, une femme peut en souffrir énormément durant une grossesse et pratiquement pas lors de la suivante. Les changements hormonaux de l'organisme sont sûrement un facteur déterminant, mais l'anxiété et les inquiétudes de la future mère vis-à-vis de sa nouvelle situation sociale sont aussi à prendre en compte.

Que doit manger une femme enceinte et en quelle quantité ? Le conseil le plus souvent prodigué est de s'alimenter souvent et par petites portions. Le fait de manger souvent régule le taux de sucre sanguin, ce qui est important pour éviter les coups de fatigue. Absorber de petites quantités à la fois évite de dilater l'estomac ; ainsi ce dernier ne fait pas pression sur les organes voisins, ce qui permet de limiter les nausées.

On s'interroge beaucoup, et pas seulement dans les magazines féminins, sur les aliments qui sont « dangereux » pour les femmes enceintes ou qui ne leur conviennent pas. Bien qu'il soit nécessaire d'être prudente, il faut faire la part des choses.

Dans leur grande majorité, les femmes peuvent continuer à manger normalement, tout en étant attentives aux recommandations concernant certains additifs, qui peuvent mettre leur santé et celle du fœtus en danger. De même, les aliments crus ou marinés, qui risquent de contenir des bactéries, doivent être évités. Les produits laitiers non pasteurisés, comme certains fromages crus, également. Le gibier et les champignons sauvages, susceptibles d'avoir été irradiés, sont à consommer avec précaution. Les végétariennes et les végétaliennes peuvent continuer à s'alimenter comme avant, tout en sachant qu'il est important d'avoir des apports en calcium et en fer suffisants. Les médecins et les sages-femmes pourront donner des conseils diététiques et prescrire les vitamines et les minéraux nécessaires.

Certaines femmes enceintes ont des envies irrépressibles de certains aliments ou de sucreries, comme la réglisse. Certains médecins pensent qu'elles ont des carences alimentaires, comme un manque de fer ou de zinc, et qu'elles les comblent avec les aliments qui en contiennent naturellement.

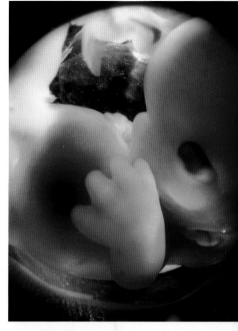

**Les bons aliments**

La période la plus sensible de la grossesse est achevée, mais le fœtus est toujours affecté par ce que consomme la mère. Les services prénatals des maternités renseignent les femmes enceintes quant aux aliments à éviter.

**58 jours, 34 millimètres**

## Les facteurs environnementaux

L'embryon se développe jour après jour selon un programme précis, déterminé par le code génétique. Pourtant, la nature n'est pas seule en cause ; les recherches ont démontré que, si l'environnement dans l'utérus est défavorable, l'enfant à naître aura des risques accrus de maladie dans sa vie. Par exemple, les garçons qui ont un faible poids de naissance auraient une production de sperme insuffisante, et ils pourraient avoir des problèmes de fertilité à l'âge adulte.

Bien que le placenta joue un rôle important de protection de l'embryon, et plus tard du fœtus, ce n'est pas une barrière infranchissable. L'alcool, le tabac et certains médicaments, entre autres, sont connus pour avoir un impact négatif sur l'environnement utérin et sur l'enfant à naître. De même, des carences maternelles en nutriments, en fer et en vitamines peuvent également affecter le bébé. Le fœtus peut aussi être trop nourri ; les « overdoses » de sucre et de graisses peuvent causer des dommages qui, s'ils ne sont pas toujours visibles à la naissance, peuvent affecter sa santé future.

**Vive les jus de fruits !**

Beaucoup de femmes enceintes cessent de boire de l'alcool et de fumer pour la santé du futur bébé. La modération ou l'abstinence sont recommandées durant la grossesse.

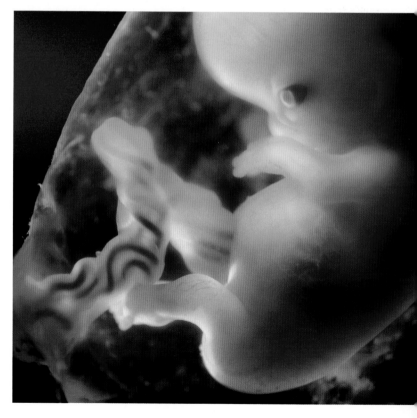

## Alcool et drogue

On a longuement débattu sur les effets de l'alcool durant la grossesse, et il existe désormais un consensus, au moins en Occident, pour estimer qu'une consommation d'alcool induit un risque sérieux pour le fœtus. Pour cette raison, beaucoup de femmes diminuent leur consommation à un verre de vin par repas ou, mieux encore, s'abstiennent totalement de boire.

Les enfants des femmes qui ont consommé beaucoup d'alcool durant leur grossesse ont souvent une apparence particulière, notamment un sévère strabisme. Mais les dommages de l'alcool peuvent être invisibles, affectant le cerveau de manière parfois irréversible. Il n'est toutefois pas considéré comme dangereux qu'une femme ait pris quelques verres en début de grossesse, alors qu'elle ne savait pas qu'elle était enceinte ; ça n'est en aucun cas un motif d'IVG.

Les drogues, et notamment l'héroïne, ont un effet très néfaste sur le fœtus.

## Le tabac

Bien qu'il soit fortement recommandé aux femmes enceintes de ne pas fumer, « seulement » une femme sur deux renonce totalement au tabac pendant sa grossesse. Les fumeuses risquent d'avoir des enfants de petit poids, et un faible poids de naissance est considéré comme pouvant générer des maladies par la suite. On a, il y a peu, établi un lien entre les enfants asthmatiques et le tabagisme des mères, et de récentes recherches ont démontré que ce risque peut survenir dès la vie *in utero*.

Il est donc préférable de s'abstenir de fumer, même au tout début de la grossesse.

## Médicaments et vaccinations

Bien que certains médicaments ne passent pas le filtre du placenta et que d'autres, qui le passent, ne soient pas dangereux, il en existe qui peuvent présenter un risque pour le fœtus. La période la plus vulnérable pour ce dernier se situe durant les huit premières semaines de grossesse, lors de la formation des organes. Il est alors important pour une femme enceinte de consulter un médecin avant de prendre un quelconque médicament.

Beaucoup de vaccins ne conviennent pas aux femmes enceintes, et il leur est conseillé de ne pas se faire vacciner durant leur grossesse, même si elles doivent pour cela différer des vacances dans un pays exotique.

## Les rayons X

Lorsqu'une femme en âge de concevoir doit passer une radiographie de l'estomac, des intestins, de la vésicule biliaire, des reins ou de la région lombaire, le médecin doit toujours lui demander si elle est enceinte, car on sait que ces examens peuvent être dangereux, notamment au stade embryonnaire. D'autres examens, comme les radios des bras ou des jambes, les radios dentaires ou les mammographies, qui n'exposent pas l'embryon aux radiations, peuvent être pratiqués à tout moment de la grossesse.

## Les maladies et les handicaps

La rubéole est la plus connue et la plus fréquente des maladies infectieuses qui peuvent affecter l'embryon. On sait que, si la mère la contracte en début de grossesse, l'ouïe du bébé peut être déficiente. D'autres symptômes subits durant la grossesse, comme des diarrhées, une forte fièvre ou des démangeaisons sur tout le corps, peuvent signaler une maladie qui aura des effets négatifs sur le fœtus. Il est donc important de consulter rapidement pour avoir un avis médical.

## Le stress

Le stress dû au travail et à l'environnement est désormais considéré comme un facteur de risque durant la grossesse. On pense qu'il aurait une influence à la fois sur les fausses couches et sur les naissances prématurées.

## Les substances chimiques

On ne sait pas vraiment comment les substances chimiques utilisées dans l'industrie et dans l'agriculture peuvent avoir un impact sur l'environnement utérin durant la grossesse. Si l'on connaît des substances toxiques, comme le DDT, et les dangers de la radioactivité, il est difficile d'établir le lien entre certains produits et des anomalies fœtales ; il est vrai que ce type d'étude doit être mené sur une longue période et doit porter sur de nombreux enfants pour que les statistiques soient fiables.

## Le surpoids

Des études récentes ont démontré que les risques de dommages chez le fœtus étaient augmentés chez les femmes en grand surpoids quand elles commencent une grossesse. Ces risques seraient aussi importants que ceux qui sont associés au tabac.

# Le ventre s'arrondit

## SEMAINES 13 À 26

**Suspendu dans sa bulle**

Quand la femme enceinte entre dans son 4ᵉ mois de grossesse, le risque de fausse couche est réduit de manière substantielle. Le fœtus flotte confortablement dans son petit univers, avec le vitellus comme une pleine lune au-dessus de lui.

### Le tout nouveau fœtus

Dix semaines se sont écoulées depuis la conception, douze depuis les dernières règles de la femme. La future mère est sur le point d'entrer dans son 4ᵉ mois de grossesse, et la phase de la gestation où le fœtus est le plus vulnérable est achevée : les fausses couches sont relativement rares après douze semaines. Dans l'utérus, entouré de liquide amniotique, le petit être à venir se repose. L'échographie montre qu'il peut bouger, bien qu'il soit si petit et que ses mouvements soient si ténus que sa mère ne sent pas encore qu'il est actif.

Le fœtus se développe rapidement, et l'utérus grandit à l'avenant. À la fin de la 12ᵉ semaine, ce dernier a la taille d'un poing d'homme ; un mois après seulement, il a celle d'un melon. Le placenta aussi est devenu plus volumineux et plus épais pour faire face à la demande croissante de nutriments et d'oxygène. Tous les organes apparus pendant la période embryonnaire se développent, et les proportions du fœtus se rapprochent de plus en plus de celles d'un nouveau-né, bien que la tête reste encore très grosse.

Les cartilages commencent à se transformer en os, et le corps s'affermit. L'ébauche de squelette, faite de cartilages, se transforme graduellement en os dans les longs membres, qui deviendront les bras et les jambes. La calcification commence à la racine des membres et s'étend progressivement vers leurs extrémités, processus qui ne s'achèvera qu'à la fin de la croissance, durant l'adolescence. Le fragile cerveau a également besoin d'une coque protectrice. Au stade fœtal, celle-ci est formée de grands os bombés, non soudés pour que le cerveau ait la place de se développer.

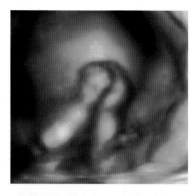

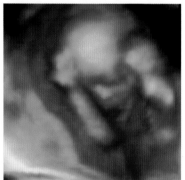

## Une activité constante

Le fœtus bouge de plus en plus chaque jour, et les mouvements saccadés que l'on pouvait observer à l'échographie durant la période embryonnaire sont remplacés par des gestes plus lents et apparemment plus contrôlés. On peut souvent voir la main qui cherche la bouche, ainsi que les membres qui se tendent et se détendent. Les mouvements respiratoires apparaissent occasionnellement, et il arrive au fœtus de bâiller ou d'avoir le hoquet ; il reste rarement tranquille plus d'un instant. Son activité est sensiblement la même de jour et de nuit. Ce n'est que plus tard dans la grossesse qu'il prendra un rythme plus régulier, avec des périodes de sommeil durant la nuit. Pour l'instant, il ne semble pas dormir plus de quelques minutes à la fois. Fille ou garçon ? C'est durant cette phase que les organes génitaux externes commencent à se développer, mais il est encore difficile de déterminer le sexe du futur bébé à l'échographie (voir pp. 158-159). Chez le fœtus mâle, les testicules ont commencé à produire de la progestérone, et les ovaires du fœtus féminin contiennent déjà des millions d'ovaires.

### La calcification

Le corps devient plus rigide
à mesure que les cartilages
se transforment en os.
La calcification, visible ici à travers
la peau fine, commence dans
les bras et dans les jambes. Âgé
d'environ 13 semaines, le fœtus
est constamment en mouvement.

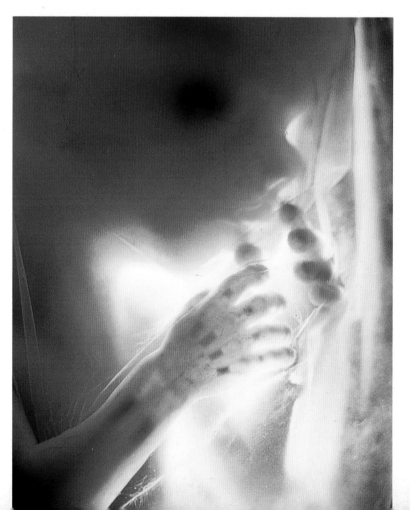

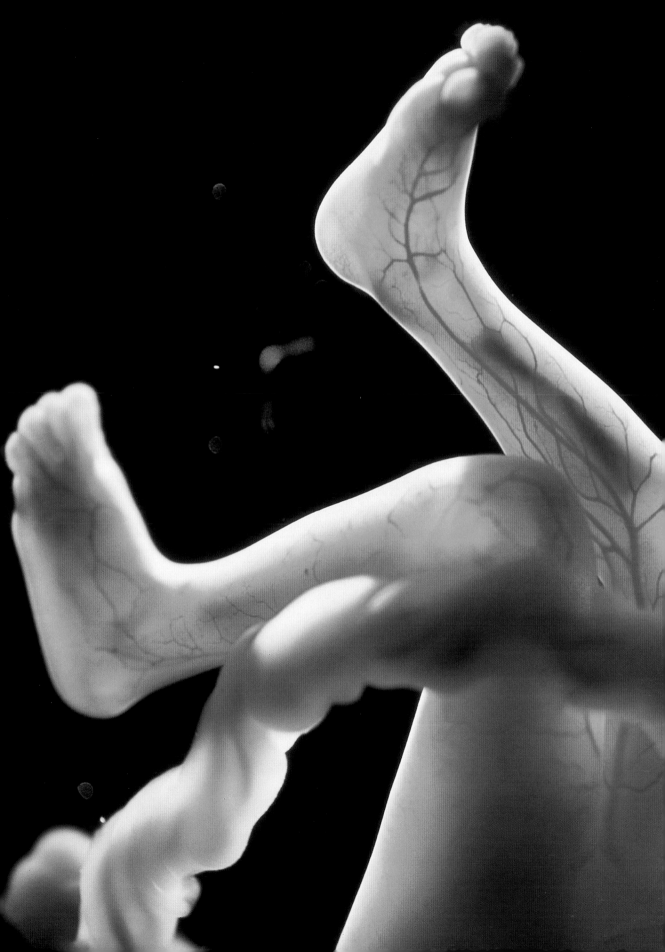

### Le premier portrait

Voir la forme de leur enfant apparaître sur un écran
est une expérience unique pour les futurs parents.
C'est peut-être vraiment à ce moment qu'ils
réalisent pleinement ce qui leur arrive, avec
une photographie pour preuve ! L'autre raison
importante de pratiquer une échographie est
de vérifier que tout se passe bien. Le médecin et
la sage-femme examinent soigneusement le fœtus,
expliquant au fur et à mesure ce qu'ils voient :
ici, la grosse tête ronde ; là, le cœur qui bat rapidement.

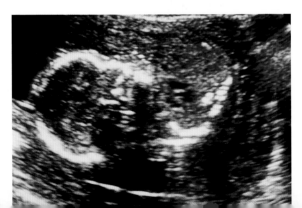

## Les problèmes possibles

De nos jours, les futurs parents expriment plus souvent que dans les générations passées leurs inquiétudes au sujet de la santé de l'enfant à naître et des problèmes qui pourraient survenir pendant la grossesse. C'est probablement dû au fait que nous en savons plus aujourd'hui sur les causes des difformités et autres handicaps.

Une fausse couche précoce est la manière dont la nature s'assure qu'un embryon au matériel génétique sérieusement endommagé ne se développera pas. Cependant, si les dommages sont mineurs, la grossesse se poursuivra, et les futurs parents peuvent se trouver face à un grave problème et à des décisions difficiles à prendre. Environ 3 % des nouveau-nés souffrent de petites malformations. Cela peut être une oreille déformée ou une grande tache de naissance qui défigure l'enfant et désole ses parents. Dans un tiers des cas toutefois, le problème est plus sévère. L'enfant peut par exemple avoir une malformation cardiaque, une anomalie du système digestif ou urinaire ; dans ces cas, différentes interventions chirurgicales sont nécessaires. Le spina-bifida est une autre malformation, qui requiert souvent des opérations répétées et de longues périodes d'hospitalisation, dures à supporter pour l'enfant comme pour ses parents.

Le désordre génétique le plus courant est le syndrome de Down, (ou mongolisme). Les enfants atteints de ce syndrome ont un chromosome supplémentaire dans la 21e paire, soit 47 chromosomes au lieu de 46. L'information apportée par ce chromosome affecte le développement corporel, et il en résulte des anomalies physiques caractéristiques : yeux bridés, oreilles déformées et mains anormales. Ces traits physiques sont insignifiants par rapport au handicap intellectuel qui affecte ces enfants. Le risque est plus élevé chez les femmes les plus âgées, mais même les jeunes couples peuvent donner naissance à un bébé atteint de ce syndrome. Dans la mesure où la majorité des enfants naissent de parents jeunes, la plupart des parents de petits mongoliens sont jeunes, c'est-à-dire dans le groupe d'âge où l'on ne pratique pas de tests prénatals sur les mères. Quoi qu'il en soit, il est loin d'être certain que le diagnostic de trisomie doive obligatoirement inciter le couple à interrompre une grossesse. De nombreux témoignages de parents et de frères et sœurs rapportent de quelle manière ces enfants enrichissent la vie de la famille entière. En outre, il y a de grandes variations dans le degré de handicap mental associé au syndrome de Down.

**Un chromosome en plus**

Un chromosome supplémentaire dans la 21e paire est la seule aberration génétique du syndrome de Down, mais elle produit un enfant bien différent de la norme. Ces dernières années, beaucoup de pays ont commencé à offrir aux femmes des examens de diagnostic prénatal aux femmes chez qui il existe une raison de suspecter un risque de syndrome de Down. En pratique, ces examens s'adressent le plus souvent aux femmes ayant plus de 35 ans.

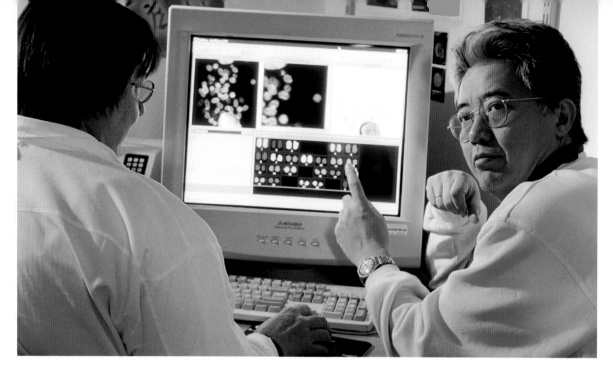

## Une surveillance renforcée

Les progrès rapides de la génétique
ont apporté des moyens accrus
et plus rapides de déterminer si
le développement du bébé se passe
bien. Grâce à l'amniocentèse,
la structure des chromosomes peut
être examinée en détail. Même
les plus petites aberrations peuvent
être décelées en utilisant des
techniques spécifiques.

## Les méthodes de diagnostic prénatal

Il existe différentes sortes d'examens permettant de déterminer si
un enfant à naître souffre d'une anomalie congénitale. Le plus courant est bien sûr l'échographie, et beaucoup de femmes en subissent plusieurs durant leur grossesse. L'amniocentèse est également
devenue plus fréquente depuis que les femmes sont enceintes de
plus en plus tard. Cependant, les possibilités nouvelles de déceler
des aberrations peuvent aussi poser des problèmes aux médecins,
qui doivent informer les parents afin que ceux-ci prennent une décision qui changera le cours de leur vie. Bien que l'on puisse parfois
tirer des conclusions nettes d'un examen prénatal, il arrive qu'il
soit impossible de déterminer de quelle manière une aberration
génétique décelée *in utero* affectera l'enfant à naître. Dans certains
cas, on peut seulement dire qu'il y a un risque, mais faible.

Si les examens indiquent que le fœtus est atteint de désordres
génétiques sérieux, on conseille généralement à la femme d'interrompre la grossesse. Beaucoup de femmes sur lesquelles on
pratique un diagnostic prénatal, surtout par échographie, considèrent cet examen comme une manière de s'assurer que tout va bien
et n'ont pas envisagé quelle serait leur réaction en cas de problème
réel. C'est pourquoi les médecins devraient toujours discuter avec
leurs patientes des conséquences possibles de ces examens. Ils
doivent, en outre, informer les couples que certains d'entre eux
induisent un risque de fausse couche.

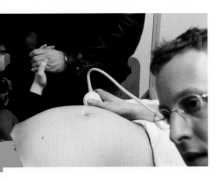

## L'échographie pour toutes

Dans beaucoup de pays, chaque femme enceinte se voit offrir au moins une échographie durant sa grossesse. En pratique, cet examen est effectué beaucoup plus souvent. Il faut cependant noter que des rapports occasionnels indiquent encore qu'il comporterait quelques risques. Comme en tout, il convient de faire preuve de modération, et de ne pratiquer des examens que lorsqu'ils sont justifiés sur le plan médical. Dès la 11e semaine, il est possible de distinguer la tête, la poitrine, le torse, les bras et les jambes du fœtus. Ses doigts peuvent être comptés, et ses organes génitaux discernés ; à 17 semaines, on peut voir si l'enfant sera un garçon ou une fille.

Mais il faut aussi comprendre que, de la même manière que les rayons X étaient utilisés par le passé, l'échographie permet aux spécialistes de voir des choses qu'un œil mal entraîné ne peut distinguer. S'il existe la moindre indication d'une difformité possible, il peut être nécessaire de répéter l'examen après quelques jours, éventuellement à l'hôpital avec un matériel plus performant. Dans certains cas, on décidera de pratiquer une amniocentèse pour déceler une anomalie chromosomique

ou une fœtoscopie (voir pp. 128-129), pour un examen plus détaillé. Dans de rares occasions, lorsque le fœtus souffre de problèmes graves et incurables, il est conseillé aux parents d'interrompre la grossesse. Durant les premiers mois de grossesse, l'échographie peut être pratiquée par voie vaginale, mais quand le fœtus grandit, il est plus simple et plus informatif de passer le transducteur sur le ventre de la femme. Il arrive que les deux types d'examens soient associés, en fonction de ce que l'on recherche.

## Prélèvement placentaire

Une autre méthode devenue plus courante ces dernières années est de passer une fine aiguille guidée par ultrasons dans le placenta pour prélever un échantillon (prélèvement de villosités choriales). L'embryon et le placenta étant de même origine, ils sont identiques sur le plan génétique. À partir d'un petit morceau de tissu placentaire, il est possible de déterminer le code génétique de l'enfant à naître. Cet examen est souvent pratiqué durant la 11e semaine de grossesse, mais le risque de complications, et notamment de fausse couche, est parfois plus élevé que lors d'une amniocentèse. De plus, dans de rares cas, il s'avère que le code génétique du placenta n'est pas le même que celui de l'embryon, ce qui crée des problèmes particuliers pour interpréter les résultats.

## L'amniocentèse

L'amniocentèse est une méthode classique, utilisée pour déterminer si le fœtus présente des désordres génétiques sérieux. Proposée s'il existe des facteurs de risques (âge, résultats de l'échographie, marqueurs sanguins), elle est pratiquée entre les 15e et 17e semaines de grossesse et consiste à prélever des cellules rejetées par le fœtus dans le liquide amniotique. On extrait de 10 à 20 millilitres de ce liquide à l'aide d'une aiguille creuse et d'une seringue, puis on cultive les cellules recueillies pendant deux semaines en laboratoire. Il est ensuite possible de déterminer la composition chromosomique de la culture. Chaque paire de chromosome est examinée pour vérifier qu'elle est normale. Il est bien sûr également possible de dire quel est le sexe de l'enfant.

Si l'examen est pratiqué pour répondre à une question spécifique, il n'est pas toujours nécessaire d'attendre les résultats de la culture, car cette longue période d'expectative peut être très éprouvante pour les futurs parents.

Les nouvelles technologies appliquées à la génétique permettent parfois de répondre à une question bien définie en quelques heures, mais ce type d'examen rapide ne donne pas une image d'ensemble de l'état du fœtus.

### Un excès de liquide amniotique

L'organisme de cette femme produisait beaucoup trop de liquide amniotique, ce qui mettait en danger sa santé et celle du fœtus. Après une fœtoscopie de vingt minutes, les médecins purent lui donner le feu vert pour poursuivre sa grossesse, à condition qu'ils lui prélèvent un peu de liquide chaque jour. Elle parvint à donner le jour à son enfant, grâce à une bonne surveillance et à un diagnostic exact.

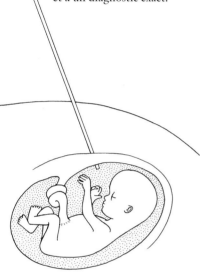

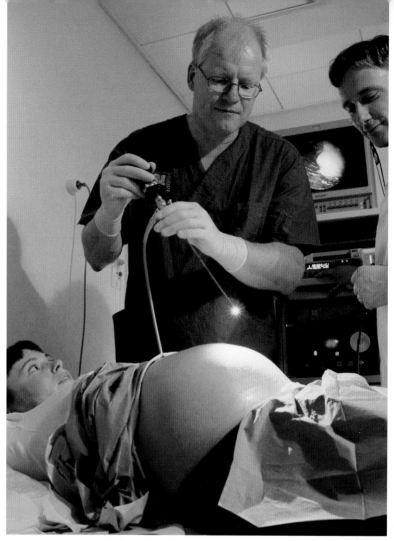

## Plein feu sur le fœtus

Si l'échographie fait soupçonner un problème quelconque, il est possible de pratiquer une fœtoscopie. À l'aide d'un endoscope très fin — certains n'ont pas plus d'un millimètre de section, comme les aiguilles hypodermiques —, on examine l'embryon ou le fœtus *in utero*. On parvient ainsi à mettre en évidence de très petits défauts ou des malformations, et l'on pense que, dans le futur, il sera possible de pratiquer une microchirurgie endoscopique sur ces minuscules patients, prévenant ainsi certaines fausses couches et traitant des malformations mineures avant qu'elles ne se développent et deviennent incurables.

Ce genre de chirurgie fœtale est encore du domaine de la recherche médicale.

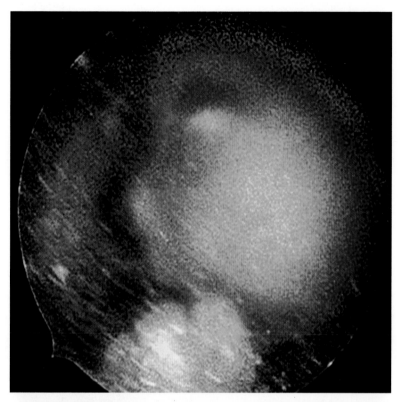

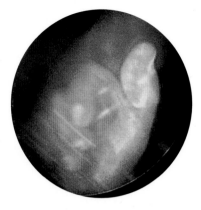

### Regard sur le fœtoscope

Des fragments de tissus flottent comme des flocons. Dans ce liquide troublé, on distingue le visage de l'enfant, la main pressée contre son visage, minuscule poing d'où émerge le pouce. Quatre mois plus tard, cette mère dont la production de liquide amniotique était trop abondante a donné le jour à un superbe petit garçon.

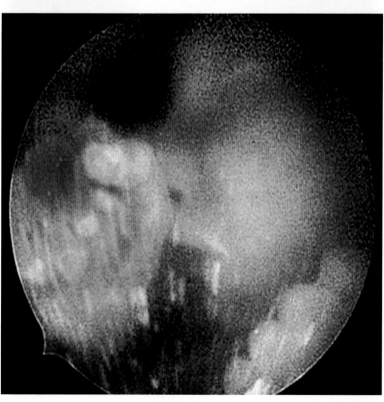

## Une vie aquatique

Le fœtus baigne dans le liquide amniotique. L'être humain est en effet programmé pour passer les neuf premiers mois de sa vie dans l'eau, tout comme, à l'aube du développement, l'existence animale était concentrée dans les océans avant de s'adapter progressivement à la vie terrestre.

Au début de la grossesse, la quantité de liquide dans la poche des eaux était négligeable, mais elle augmente maintenant de jour en jour pour faciliter les mouvements du fœtus en cours de développement. Ce liquide n'est pas limpide, mais chargé de particules en suspension. En effet, lorsque le fœtus avale du liquide amniotique, celui-ci passe par le système digestif avant d'être évacué. Il arrive également que le fœtus absorbe du liquide dans ses poumons et qu'il tousse pour l'expectorer. De plus, des cellules superficielles de sa peau desquament et flottent dans le liquide amniotique. Ce sont ces cellules qui sont utilisées pour les diagnostics prénatals. Ce milieu fermé contient aussi les urines du fœtus filtrées par les reins. En dépit de toute cette « pollution », le liquide amniotique est parfaitement stérile. Il est, en outre, entièrement renouvelé toutes les cinq ou six heures environ.

La peau du fœtus est bien adaptée à la vie aquatique. L'enfant à naître est protégé par une substance blanche, le vernix. Quand la peau est suffisamment développée apparaissent les premiers poils, visibles dès la 12ᵉ semaine de grossesse.

Connue sous le nom de lanugo, cette pilosité couvre le corps entier. Entre la 16ᵉ et la 20ᵉ semaine, les racines des cheveux et des sourcils se dessinent et prennent la pigmentation qui définira leur couleur. Le lanugo disparaît avant la naissance de l'enfant. Sa fonction précise durant la vie *in utero* n'est pas vraiment déterminée, mais on pense qu'il servirait à retenir le vernix protecteur, produit en grande quantité par les glandes sébacées situées à la racine des poils. Son rôle consisterait aussi à protéger le fœtus contre les frottements et les petites plaies superficielles.

Une partie du vernix se mélange au liquide amniotique. Il couvre le corps du bébé jusqu'à la fin de la grossesse, aussi celui-ci est-il généralement glissant et un peu collant à la naissance.

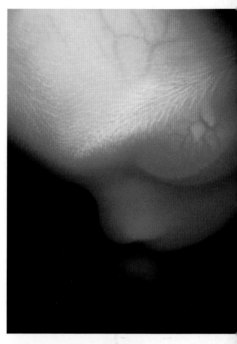

**L'apparition des sourcils**

Le système optique du fœtoscope permet d'observer le visage de l'enfant à naître, y compris les poils ténus des sourcils sur un fœtus de 16 semaines. Les racines des cheveux sont déjà visibles, bien que la pigmentation ne soit pas encore vraiment définie.

**17ᵉ semaine**

Le processus de création se poursuit inexorablement. Le fœtus mesure maintenant 18 centimètres de la tête aux pieds, et l'on commence à distinguer ses traits.

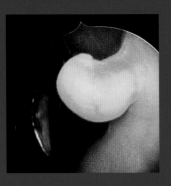

**17e semaine**

# À mi-course, ou presque

Le processus complexe de la création est désormais bien engagé. Le fœtus dispose de toute la place nécessaire pour se déplacer. Les premiers coups de pied commencent à émerveiller la mère. Elle les ressent en principe entre la 16e et la 20e semaine.

◀ **Les yeux**

Les paupières sont désormais complètes et couvrent les yeux. Elles ne s'ouvriront pas avant la 26e semaine.

◀ **Les poils**

Il y a déjà des poils minuscules sur le visage, et le corps entier est couvert d'une fine couche duveteuse de lanugo.

◀ **C'est un garçon !**

La fœtoscopie révèle clairement les organes génitaux du fœtus à la 17e semaine.

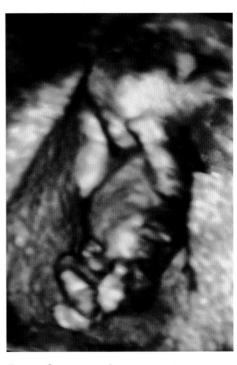

## Des réponses importantes

L'un des examens les plus importants est l'échographie pratiquée vers la 17e semaine. La croissance et le développement du fœtus à ce moment permettent de mesurer la longueur des fémurs ainsi que les circonférences du torse et de la tête. Toute déviation par rapport aux normes est enregistrée et soigneusement analysée.

| Semaines | 5 | 10 | 15 |
|---|---|---|---|

| Mois | 1 | 2 | 3 |
|---|---|---|---|

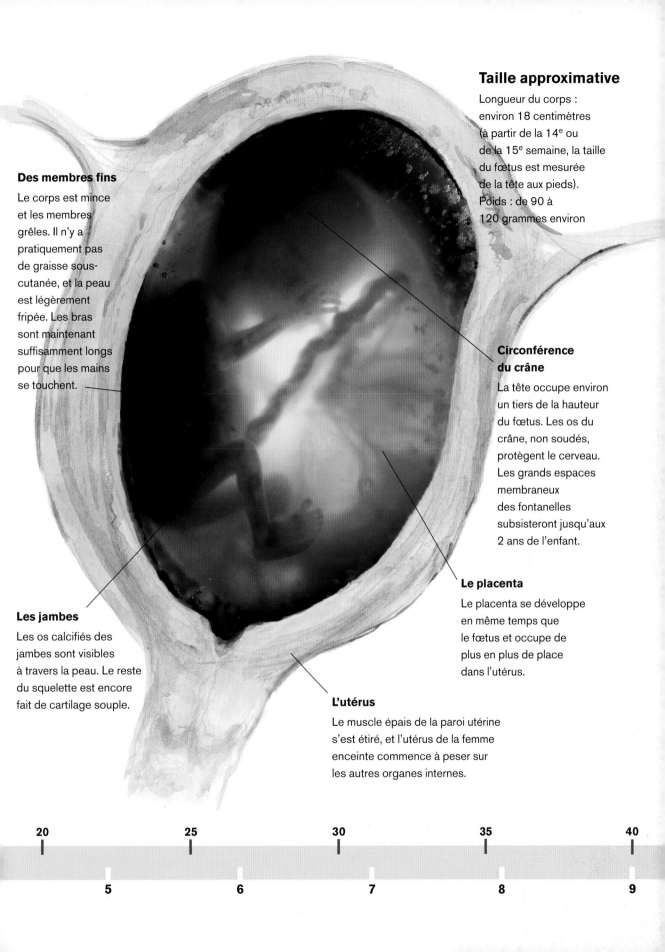

## Taille approximative

Longueur du corps :
environ 18 centimètres
(à partir de la 14e ou
de la 15e semaine, la taille
du fœtus est mesurée
de la tête aux pieds).
Poids : de 90 à
120 grammes environ

## Des membres fins

Le corps est mince
et les membres
grêles. Il n'y a
pratiquement pas
de graisse sous-
cutanée, et la peau
est légèrement
fripée. Les bras
sont maintenant
suffisamment longs
pour que les mains
se touchent.

## Circonférence du crâne

La tête occupe environ
un tiers de la hauteur
du fœtus. Les os du
crâne, non soudés,
protègent le cerveau.
Les grands espaces
membraneux
des fontanelles
subsisteront jusqu'aux
2 ans de l'enfant.

## Le placenta

Le placenta se développe
en même temps que
le fœtus et occupe de
plus en plus de place
dans l'utérus.

## Les jambes

Les os calcifiés des
jambes sont visibles
à travers la peau. Le reste
du squelette est encore
fait de cartilage souple.

## L'utérus

Le muscle épais de la paroi utérine
s'est étiré, et l'utérus de la femme
enceinte commence à peser sur
les autres organes internes.

| 20 | 25 | 30 | 35 | 40 |
|---|---|---|---|---|
| 5 | 6 | 7 | 8 | 9 |

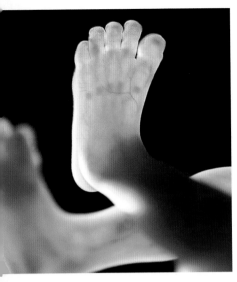

**Les premiers coups de pied**

Il y a quelque chose de magique dans le moment où une femme sent les premiers coups de pied de son enfant. Soudain, ce membre invisible de la famille fait connaître physiquement sa présence. Puis les premiers mouvements deviennent de plus en plus affirmés. À la fin de la grossesse, ils peuvent être si prononcés que la mère en a le souffle coupé ou qu'ils la réveillent durant la nuit.

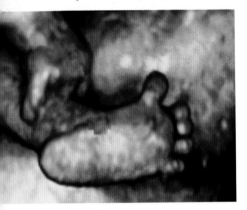

## Une période bénie

Beaucoup de femmes se sentent particulièrement en forme au milieu de leur grossesse. Celles qui avaient souffert de nausées voient diminuer ces dernières et leur fatigue disparaît. Les cheveux, les yeux et la peau des femmes enceintes sont souvent resplendissants de santé, et l'ampleur de leur ventre ne gêne pas encore leurs mouvements ou leur respiration ; il reste en effet beaucoup de place dans la cavité abdominale. Ces femmes dorment généralement bien, même si certaines d'entre elles se plaignent d'avoir trop chaud la nuit. Le fœtus peut, en effet, être comparé à une petite chaudière qui serait poussée à plein régime.

La grossesse commence à être visible, même si de nombreuses femmes n'ont pas encore pris beaucoup de poids au moment du deuxième trimestre de gestation. Nombre de facteurs contribuent à déterminer le moment où la grossesse devient apparente, parmi lesquels la taille et la condition physique. Ce moment survient généralement plus tard chez les femmes enceintes pour la première fois. La taille du ventre reflète le développement du fœtus, c'est pourquoi il fait l'objet de mesures régulières lors des visites prénatales. Celles-ci sont pratiquées depuis le sommet de l'os pubien jusqu'au sommet de l'arrondi de l'abdomen. Cette hauteur varie de femme en femme et d'une grossesse à l'autre, mais elle est en moyenne de 18 à 20 centimètres à 20 semaines de grossesse. Elle augmente ensuite d'environ 1 centimètre par semaine jusqu'à la naissance.

Bien qu'une femme enceinte voie son ventre s'arrondir et qu'elle ait observé son fœtus à l'échographie (avec son cœur qui bat la chamade), elle ne l'a pas encore senti bouger à ce stade. Et puis, un jour, un petit coup de pied ou de poing vient frapper son ventre, comme un frémissement. Ces mouvements peuvent être ressentis comme des gaz, et ce n'est que petit à petit que la femme les reconnaît pour ce qu'ils sont.

Les premiers signes sont impossibles à décrire ; il faut absolument en avoir fait l'expérience pour les reconnaître, et seules les femmes qui ont déjà été enceintes ne s'y trompent pas. En règle générale, elles perçoivent les mouvements du fœtus pour la première fois vers la 16ᵉ ou la 17ᵉ semaine, alors que les femmes primipares n'en prennent conscience qu'environ deux semaines plus tard.

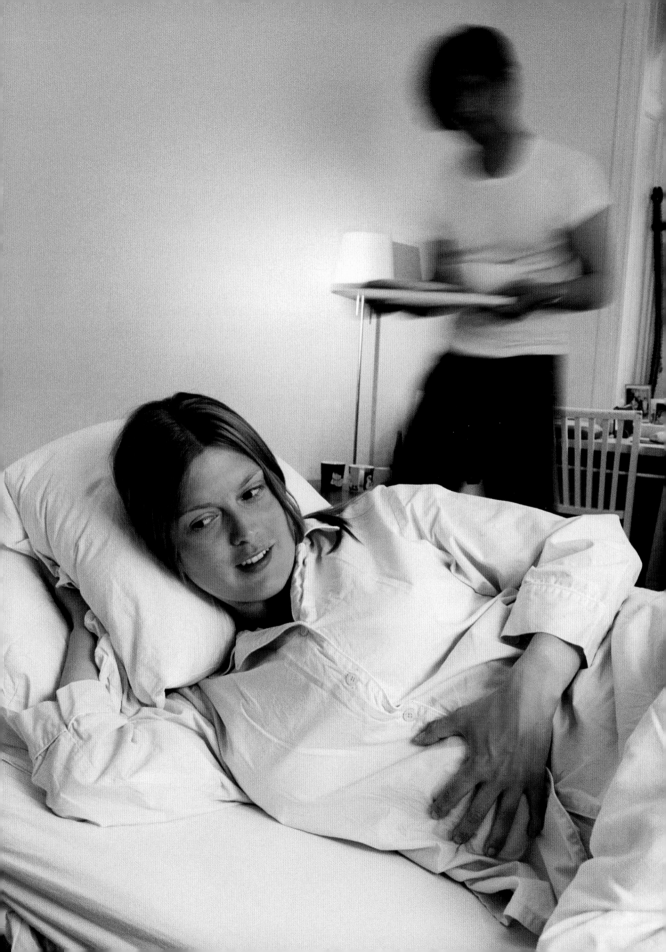

## Gérer les problèmes physiques

Le deuxième trimestre de la grossesse est une bonne période pour beaucoup de femmes, mais certaines d'entre elles connaissent des problèmes mineurs. Une carence en fer se traduit parfois par un manque d'énergie et par de la fatigue. Une grossesse consomme en effet une bonne partie des réserves en fer d'une femme. Ses besoins augmentent, le fer étant indispensable au développement du fœtus. Pour cette raison, il est parfois conseillé de prendre des compléments en fer dès le début de la grossesse, mais à doses raisonnables car le fer a tendance à causer une constipation, ce qui représente un autre problème.

Les sécrétions vaginales désagréables sont courantes durant cette phase de la grossesse. Parfois causées par des infections fongiques sans danger, elles peuvent être facilement traitées. Les médicaments employés n'entrant pas dans le flux sanguin de la mère, ils ne peuvent affecter le fœtus. Des infections bactériennes peuvent également être à l'origine du problème. Elles doivent être traitées, car elles peuvent provoquer une naissance prématurée.

Pendant cette période de la grossesse, certaines femmes ont également le souffle court, surtout lorsqu'elles produisent un effort physique.

Au cours des trois premiers mois, la prise de poids ne dépasse généralement pas quelques livres mais, au second trimestre, il est important de garder un œil sur la balance, car les kilos risquent de s'accumuler trop vite. Cependant, une femme enceinte ne doit pas être soucieuse de sa ligne au point de se priver, ainsi que son enfant, des nutriments nécessaires. Une prise de poids moyenne de 13 kilos est considérée comme idéale. Environ la moitié de ce poids est dévolue au bébé, au placenta et au liquide amniotique. Beaucoup de femmes grossissent davantage, d'autres un peu moins. Certaines d'entre elles perdent du poids au début de la grossesse du fait des nausées. En fin de gestation, le gain de poids important peut être dû à la rétention d'eau, les systèmes circulatoire et lymphatique peinant à assurer l'équilibre hydrique de l'organisme ; tout rentre dans l'ordre relativement vite après la naissance.

Une femme enceinte ne doit pas hésiter à faire part de ses problèmes lors des visites prénatales, où sa tension sanguine est régulièrement contrôlée, où son poids noté et où des tests urinaires à la recherche de protéines ou de sucre sont réalisés si nécessaire.

### Répartition de la prise de poids en fin de grossesse

| | |
|---|---|
| Bébé | 3,4 kg |
| Placenta | 0,7 kg |
| Liquide amniotique | 1,0 kg |
| Paroi utérine | 1,0 kg |
| Seins | 1,0 kg |
| Système circulatoire | 1,4 kg |
| Rétention d'eau | 1,5 kg |
| Graisse | 3,0 kg |
| | |
| Total | 13 kg |

### Bouger

La vie est souvent chamboulée pendant la grossesse, mais il n'y a aucune raison pour qu'une femme cesse d'être physiquement active. Beaucoup de femmes enceintes courent, font du vélo ou d'autres formes d'exercice très avant dans leur grossesse. Toutes ne sont bien sûr pas capables d'adopter des postures de yoga aussi sophistiquées que celle-ci, mais c'est une discipline très relaxante.

## En forme pour la naissance

Conserver une bonne forme physique durant la grossesse est important, et les femmes qui ont une activité sédentaire doivent prendre régulièrement de l'exercice : la marche rapide est généralement conseillée. Une femme qui a une activité sportive régulière peut la poursuivre en début de grossesse, quitte à ralentir le rythme ou à changer de discipline par la suite.

Il existe des cours spécialisés où sont enseignés des mouvements de gymnastique ou de yoga bien adaptés aux femmes enceintes. L'accent est porté sur les groupes musculaires qui seront sollicités au moment de la naissance. Une femme peut ainsi tonifier les muscles qui entourent son plancher pelvien en les contractant.

## À l'eau !

Même le corps le plus maladroit devient agile dans l'eau. La natation est sans doute la meilleure forme d'exercice pour une femme enceinte. Dans une piscine chauffée, elle se sentira comme son bébé : en sécurité et pratiquement sans poids.

Il est préférable de réaliser ces exercices sous le contrôle d'un professionnel, au moins lors d'une première grossesse. Il est également nécessaire de faire travailler régulièrement ces muscles après la naissance afin qu'ils retrouvent rapidement leur élasticité. Une légère « incontinence » est souvent observée après un accouchement, notamment à l'occasion d'une toux ou d'un éclat de rire, et ces exercices peuvent permettre de résoudre le problème.

Beaucoup de femmes enceintes se plaignent de maux de dos. Une grossesse pèse beaucoup sur le dos, le volume du ventre incitant la femme à se cambrer. Il existe de nombreux exercices pour renforcer les muscles du dos, qu'il convient de commencer dès le début de la grossesse.

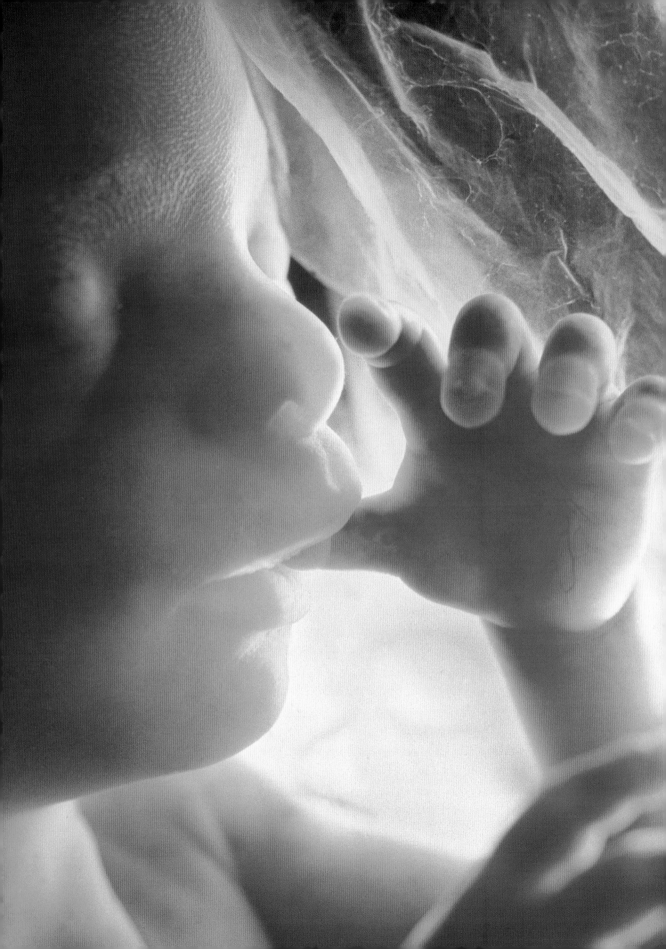

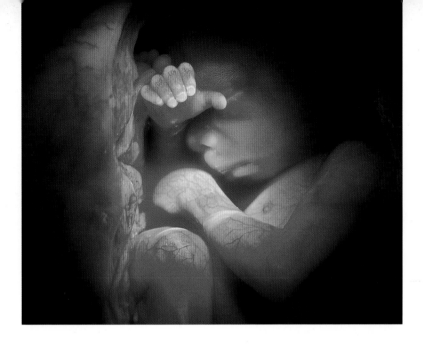

# *La vie* in utero

Dans l'utérus, le fœtus mène une vie paisible et protégée, avec juste
la bonne température et tous les nutriments qui lui sont nécessaires. L'enfant à naître a déjà commencé à explorer son corps et
son environnement avec ses mains. Il tire souvent sur son cordon
ombilical et, lorsque son pouce s'approche de sa bouche, il tourne
la tête et effectue un mouvement de succion (réflexe archaïque). Il
devra savoir s'agripper et téter dès la naissance, ainsi que ramper
jusqu'aux seins de sa mère. Il s'y entraîne avec constance, devenant
chaque jour plus robuste et plus agile.

Outre qu'il se repère avec ses bras et ses jambes, le fœtus utilise
son ouïe pour s'orienter. Les bruits qui lui sont les plus familiers
sont sûrement ceux qui proviennent du système digestif et des gros
vaisseaux sanguins de sa mère, mais il commence petit à petit à
percevoir les sons du monde extérieur, comme un air de musique
ou la voix de son père. Ses yeux sont sensibles à la lumière bien que
ses paupières soient encore closes.

On sait que, même très tôt dans son développement, le fœtus
avale le liquide amniotique qui traverse les muqueuses du nez et de
la bouche, mais on ignore s'il perçoit les goûts et les odeurs. Par
exemple, il est impossible de déterminer s'il apprécie la légère
salinité du liquide amniotique. Pourtant, il existe des preuves indirectes que l'enfant à naître développe aussi les sens du goût et de
l'odorat dans l'utérus, car un nouveau-né réagit immédiatement,
de manière positive ou négative, aux goûts sucré, salé ou amer.

**Il suce son pouce !**

Vers la 20ᵉ semaine, le fœtus
commence à sucer son pouce pour
s'endormir dans la chrysalide
protectrice de la poche des eaux.
C'est le réflexe de succion, fort
important pour sa survie après
la naissance, qui le fait agir ainsi.

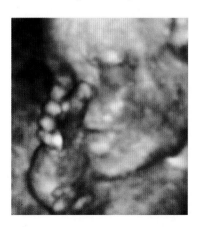

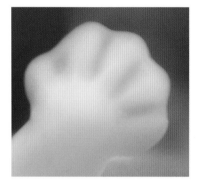

**1re semaine**

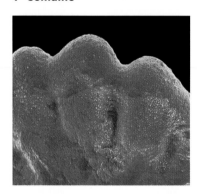

**7e semaine**

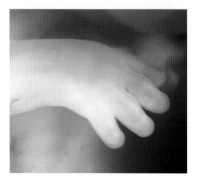

**8e semaine**

## Les mains avant les pieds

Vers le milieu de la grossesse, les mains et les pieds sont bien développés, et la mère peut ressentir des petits coups contre la paroi de son utérus quand le fœtus se retourne. Les pieds et les mains ont commencé à prendre forme dès la période embryonnaire, selon un calendrier rigoureusement préétabli au cours duquel les mains se développent environ une semaine avant les pieds. Les doigts, qui auront à accomplir des mouvements très complexes, apparaissent également avant les orteils, qui joueront un rôle important lors de l'acquisition de la marche lorsque l'enfant aura 1 an.

Dès la 3e semaine après la conception, une ligne claire apparaît de chaque côté du corps, du niveau des futures épaules à celui des hanches. Au cours de la 7e semaine, deux petites bosses recouvertes de peau se forment aux extrémités de chaque ligne. Ces protubérances rappellent les nageoires d'un phoque. Elles se développent bientôt, commençant à faire saillie, préfigurant les mains, les avant-bras et les bras aux extrémités supérieures, ainsi que les pieds, les jambes et les cuisses aux extrémités inférieures. Vers la 14e ou la 15e semaine, les mains sont capables d'agripper, bien que très maladroitement, et les pieds de donner des coups.

Les pieds, comme les mains, se développent avant les jambes, qui ne commenceront pas à s'allonger avant la 14e semaine. Elles resteront malléables pendant toute la période utérine, étant la plupart du temps repliées afin de laisser au corps le maximum d'espace pour se développer.

**Le développement des mains**

L'amorce des bras apparaît sur le torse dès la 6e semaine. Deux semaines plus tard, on discerne les doigts des mains. Les tissus entre les doigts régressent (ci-contre). Les mains prennent leur forme au cours des semaines qui suivent et, à la 11e semaine, les doigts de chaque main peuvent être comptés. À la 19e semaine, les ongles sont visibles.

**11e semaine**

**19e semaine**

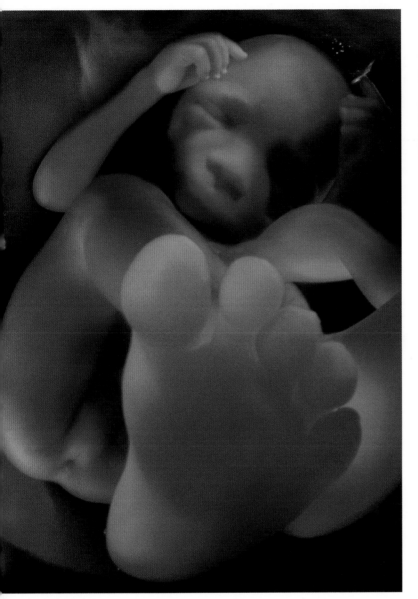

**19e semaine**

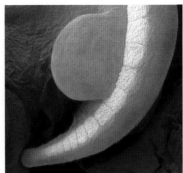

**6e semaine**

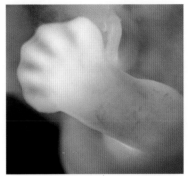

**10e semaine**

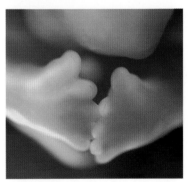

**11e semaine**

### Le développement des pieds

À la 6e semaine, les pieds et les jambes ne sont guère
plus que des protubérances faisant saillie au bas
de l'épine dorsale. La queue est un vestige de notre
évolution qui disparaîtra tôt dans la grossesse, mais nous
conserverons toute notre vie quelques petites vertèbres
caudales. À la 11e semaine, les deux pieds commencent
à être visibles, bien qu'ils soient encore petits et mal
développés. Les orteils se forment de la même manière
que les doigts, mais un peu plus tard.

**14e semaine**

### Un véritable petit monde

Tout ce dont le fœtus a besoin
en matière de chaleur, de nutrition
et de stimulation est enclos dans
une forme circulaire de quelques
décimètres de circonférence.
Bien que ce fœtus commence à
ressembler à un nouveau-né, la
grossesse n'en est qu'à la moitié
de sa durée, et le poids de l'enfant à
naître ne dépasse pas 500 grammes.

**24ᵉ semaine,
environ 30 centimètres**

**6ᵉ semaine**

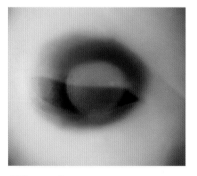

**10ᵉ semaine**

**12ᵉ semaine**

## Il discerne la lumière…

Le fœtus voit-il quelque chose dans l'utérus ? On sait qu'il est sensible à la lumière dès le 3ᵉ mois de grossesse. Lorsqu'un endoscope est introduit dans le liquide amniotique, on peut parfois voir le fœtus chercher à protéger ses yeux, soit en détournant la tête, soit avec ses mains. Bien que l'on sache que ses yeux resteront fermés jusqu'à la 26ᵉ semaine, les fines paupières ne peuvent occulter totalement la lumière. Peut-être un fœtus perçoit-il aussi la lumière lorsque sa mère prend un bain de soleil en maillot deux pièces, surtout si elle est mince. La plupart du temps, toutefois, le milieu utérin est sombre. Les signaux lumineux vont des yeux au centre de la vision du cerveau, situés à l'arrière du crâne, près du cou. À mesure que les fonctions du cerveau et de la rétine s'affinent et se coordonnent, le centre de la vision devient capable de distinguer le clair du sombre, les nuances et les formes, pour parvenir petit à petit à des images complètes et cohérentes.

Bien que la vie dans l'utérus n'exige pas une vue performante, le développement des yeux commence très tôt dans la vie de l'embryon. Tout d'abord, la partie frontale du cerveau se creuse au niveau de la peau de chaque côté de ce qui deviendra le visage. Au fond de ces cavités se forment de petites protubérances qui préfigurent les yeux. Lorsque celles-ci affleurent à la surface du visage, elles se recourbent vers l'intérieur, comme des tasses. Le fond des tasses constituera le fond de l'œil, et la peau deviendra la rétine. Le cristallin se forme lentement dans la cavité, ainsi que la cornée. À l'avant du cristallin, les iris se développent du pourtour vers le centre. Enfin, deux plis de peau se rejoignent pour constituer les paupières. L'œil est achevé.

### Les paupières

Les yeux sont formés à la 6ᵉ semaine et le cristallin se développe bientôt à partir de la peau. À la 10ᵉ semaine apparaissent les paupières primitives, qui recouvrent rapidement les yeux. Ceux-ci ne s'ouvriront pas avant la 26ᵉ semaine.

**15ᵉ semaine**

## ... et entend les battements du cœur maternel

Le développement de l'oreille externe, depuis un petit bourgeon sans forme véritable jusqu'à un organe finement ciselé, prend plusieurs mois, mais il est moins important que celui de l'oreille interne. Ce dernier, qui commence très tôt, est comparable à celui de l'œil en ceci qu'un contact s'établit entre l'organe sensoriel et le cerveau chargé d'interpréter ses signaux.

Une protubérance apparaît de chaque côté à l'arrière du cerveau, formant l'oreille interne, qui contient à la fois les organes de l'ouïe et de l'équilibre. Un peu plus tard, l'oreille externe, avec le canal auditif et le tympan, commence à se former. La partie intermédiaire, nommée oreille moyenne et contenant les osselets (le tambour, l'enclume et l'étrier), fait saillie vers l'intérieur depuis la gorge.

Il faut alors une longue période pour que tous les plis et circonvolutions de l'oreille externe se développent ; des défauts mineurs dans l'apparence de celle-ci sont généralement sans conséquence sur la santé, l'audition et la croissance d'un enfant.

Bien que l'oreille se développe tôt, elle ne perçoit pas les sons avant 18 voire 20 semaines de gestation. Le fœtus vit alors dans un monde sonore ; dès que l'ouïe commence à fonctionner, il entend les bruits du système digestif de sa mère, les battements de son cœur et le flux de ses vaisseaux sanguins. Sa voix sera aussi très vite familière à l'enfant à naître. Vers la fin de la grossesse, le fœtus devient sensible aux sons extérieurs, réagissant par exemple à la musique. Comme sa mère, il peut avoir une mélodie préférée. Les bruits violents peuvent le stimuler, mais aussi l'exposer au stress, accélérant considérablement son rythme cardiaque.

### La formation des oreilles

Le processus commence à la 5e semaine, lorsque deux protubérances minuscules apparaissent juste sous ce qui deviendra la tête. Durant cette phase, le développement de l'ouïe est extrêmement vulnérable. On sait par exemple qu'une femme qui contracte la rubéole au début de sa grossesse court le risque d'avoir un enfant ayant de sérieux problèmes d'audition. Nous ne pouvons pas dire grand-chose quant au fonctionnement d'une oreille d'après son apparence. C'est l'oreille moyenne et l'oreille interne qui sont responsables de l'ouïe et de l'équilibre.

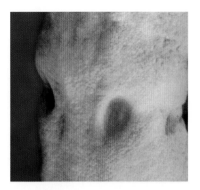

**5e semaine**

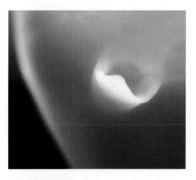

**9e semaine**

**12e semaine**

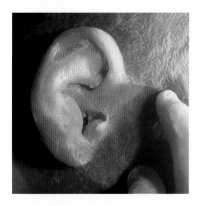

**18e semaine**

# Une frontière est franchie

Lorsque le fœtus a atteint ce point de son développement, une frontière importante a été franchie. Si pour une raison ou une autre les contractions commençaient et que l'enfant naissait, il aurait une chance de survivre à l'extérieur de l'utérus, à condition de bénéficier des soins d'un service de médecine néonatale.

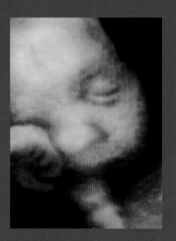

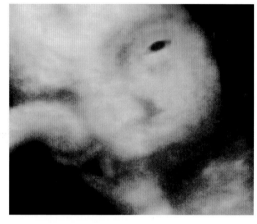

### Un cordon « haute sécurité »

Les vaisseaux sanguins du cordon ombilical, qui est d'une grande souplesse, sont entourés d'une masse gélatineuse ; celle-ci évite la formation de nœuds qui pourraient contrarier l'apport en sang.

### Les yeux s'ouvrent

Les paupières restent fermées jusqu'à la 26ᵉ semaine environ, puis leurs fibres nerveuses leur permettent de s'ouvrir et de cligner.

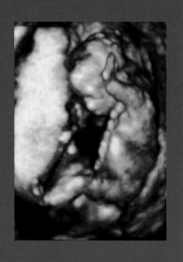

### ◀ Un lien très souple

Le long cordon ombilical s'enroule parfois autour du corps du bébé sans entraver sa liberté de mouvements.

### Encore à l'aise

Le fœtus peut encore changer de position dans l'utérus, et il effectue de nombreux mouvements qu'il fera encore à la naissance. Le fait de plier les deux bras en même temps procède d'un réflexe nerveux. Les jambes sont repliées par manque de place.

| Semaines | 5 | 10 | 15 |
|---|---|---|---|

| Mois | 1 | 2 | 3 |
|---|---|---|---|

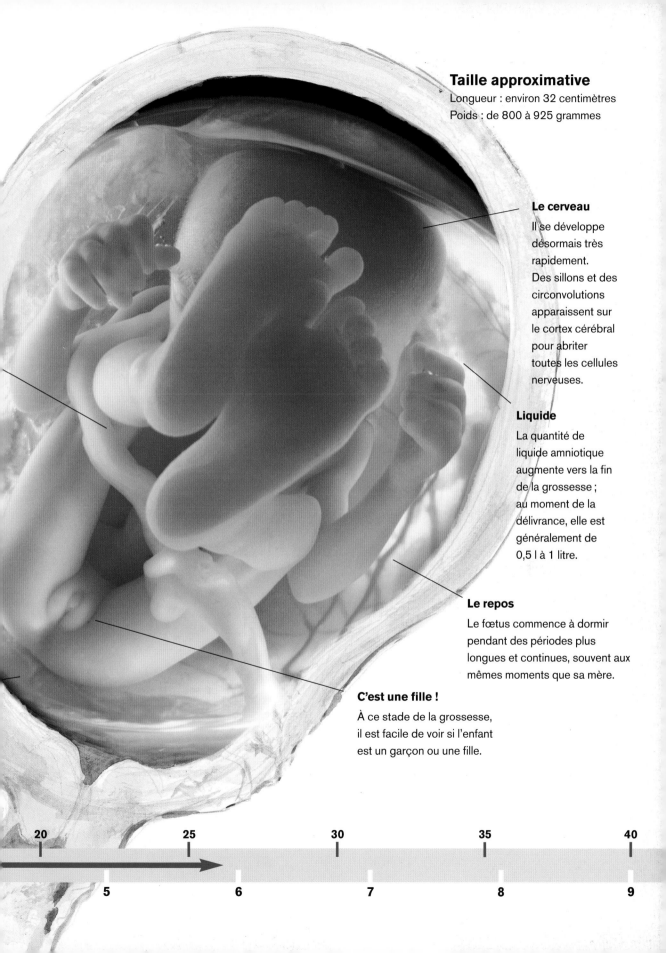

**Taille approximative**

Longueur : environ 32 centimètres

Poids : de 800 à 925 grammes

**Le cerveau**

Il se développe désormais très rapidement. Des sillons et des circonvolutions apparaissent sur le cortex cérébral pour abriter toutes les cellules nerveuses.

**Liquide**

La quantité de liquide amniotique augmente vers la fin de la grossesse ; au moment de la délivrance, elle est généralement de 0,5 l à 1 litre.

**Le repos**

Le fœtus commence à dormir pendant des périodes plus longues et continues, souvent aux mêmes moments que sa mère.

**C'est une fille !**

À ce stade de la grossesse, il est facile de voir si l'enfant est un garçon ou une fille.

20    25    30    35    40

5    6    7    8    9

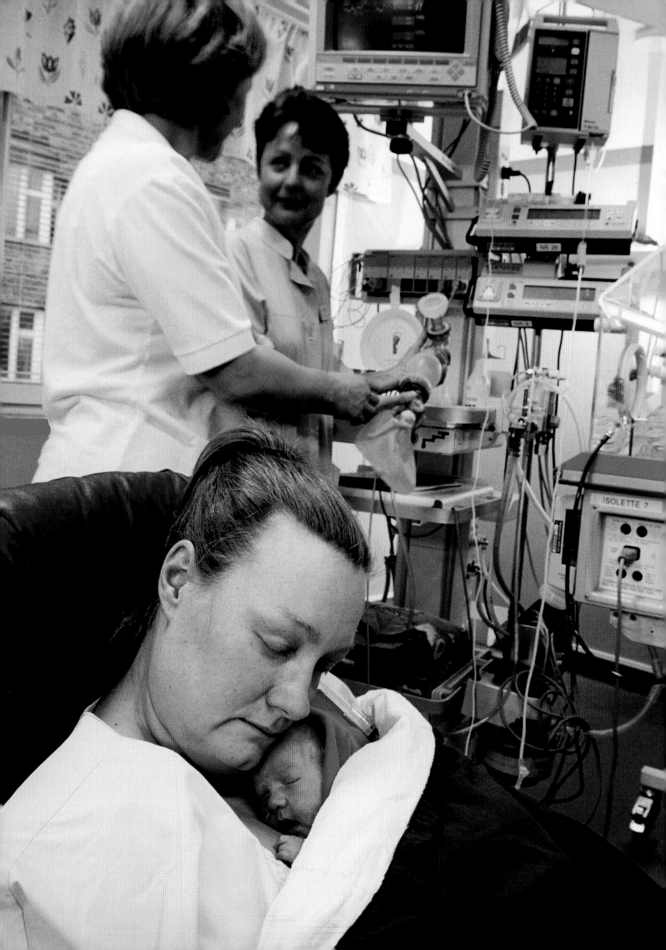

# La naissance des prématurés

Le terme normal d'une grossesse se situe en moyenne quarante semaines après les dernières règles, mais l'utérus n'est absolument indispensable à la survie du fœtus que pendant un peu plus de la moitié de cette période. Il n'y a pas si longtemps, une naissance qui survenait plus de trois mois avant la date prévue était catastrophique. Dans les pays industrialisés, plus de 90 % des enfants nés à la 28ᵉ semaine de grossesse survivent aujourd'hui. Cependant, tout comme ce qui concerne leur relation à la mort, les médecins se posent face à ces naissances prématurées certains problèmes d'éthique. Il peut être possible qu'un bébé survive, mais au risque d'avoir de graves handicaps visuels ou auditifs, ou encore un sévère retard mental s'il n'est pas possible de protéger parfaitement son cerveau immature. Comment dire si un prématuré est « trop » prématuré ? Comment décider s'il est trop petit pour être placé en couveuse ? Ce sont des questions auxquelles sont constamment confrontées les équipes de soins néonatals.

Depuis quelques années, le fonctionnement des poumons au stade fœtal est mieux connu, rendant possible d'aider de très petits bébés à survivre. Certains enfants nés à seulement 23 semaines de gestation et pesant moins de 500 grammes se sont développés normalement. Un système respiratoire immature implique cependant des risques sérieux de dommages cérébraux irréversibles, du fait d'un apport insuffisant en oxygène. Les poumons se développent en effet beaucoup plus tard que le cœur, par exemple, qui est responsable de l'apport en nutriments à tous les organes du fœtus. Dans la mesure où le placenta se charge des échanges en oxygène par le biais du cordon ombilical, les poumons n'ont pas de fonction réelle dans l'utérus. Leur véritable rôle ne commence qu'au moment de la naissance, quand l'apport en oxygène du cordon ombilical est brusquement interrompu.

Les bronches d'un poumon immature sont fermées par de petites valvules, qui ne sont pas encore prêtes à rester ouvertes et qui retiennent des fluides. C'est la raison pour laquelle les poumons constituent les organes les plus vulnérables chez les prématurés. Tous les efforts entrepris pour aider ces enfants à survivre consistent donc à rendre les poumons suffisamment matures pour que les bébés soient capables de respirer de manière autonome.

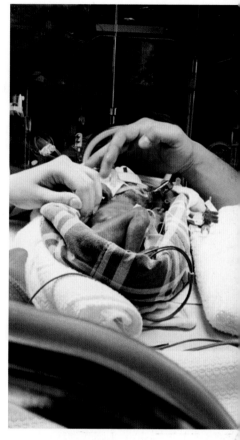

**Un environnement sur mesure**

Des gestes doux pour ce bébé prématuré. Dans les unités de néonatalogie, les enfants reçoivent les soins dont ils ont besoin, dans une ambiance calme et professionnelle. Il est particulièrement important pour ces bébés de prendre un départ serein.

| Semaines | 23 | 24 | 25 | 26 | 27 | 28 |
|----------|-----|-----|-----|-----|-----|------|
| | 44% | 63% | 73% | 81% | 88% | > 90% |

**Pourcentages de survie**

pour les enfants prématurés nés entre 1991 et 2000.

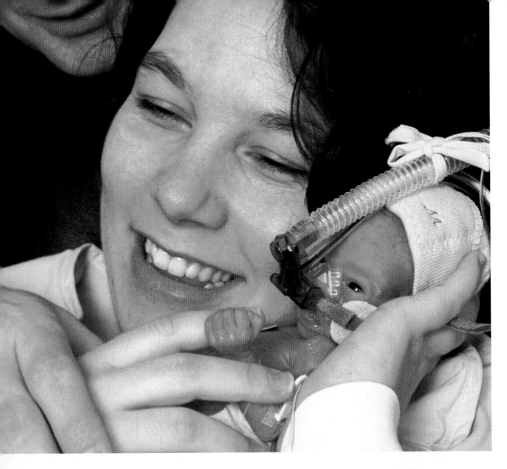

**Lucie :
une survivante**

Il y a seulement
dix ans, elle n'aurait
probablement pas
survécu. Quand elle
est née, à 26 semaines
de gestation, Lucie
pesait 660 grammes.
Elle vit aujourd'hui
sans séquelles grâce
à la technologie
moderne. Sur le plan
du développement,
elle rattrape
progressivement les
performances des
enfants nés à terme.

## Un cordon ombilical artificiel

Les poumons d'un grand prématuré ne sont pas encore
développés, et l'enfant a besoin d'une assistance
respiratoire. L'oxygène est insufflé dans sa bouche et
dans son nez par un tube en plastique. Une électrode
permet de surveiller les battements de son cœur. Ces
bébés ont également besoin d'être fréquemment nourris,
mais ils sont incapables de téter. Leurs mères doivent
soutirer leur lait et utiliser un biberon muni d'un spray
pour les faire boire. Il est important qu'ils se sentent
au chaud et en sécurité lors de ces repas.

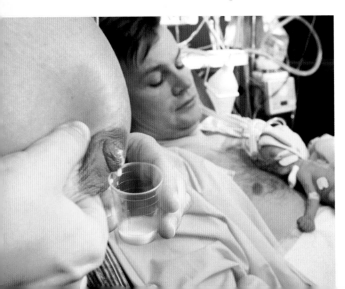

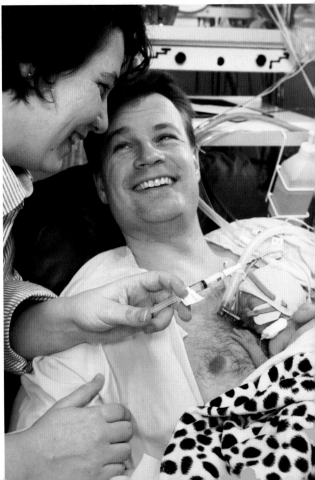

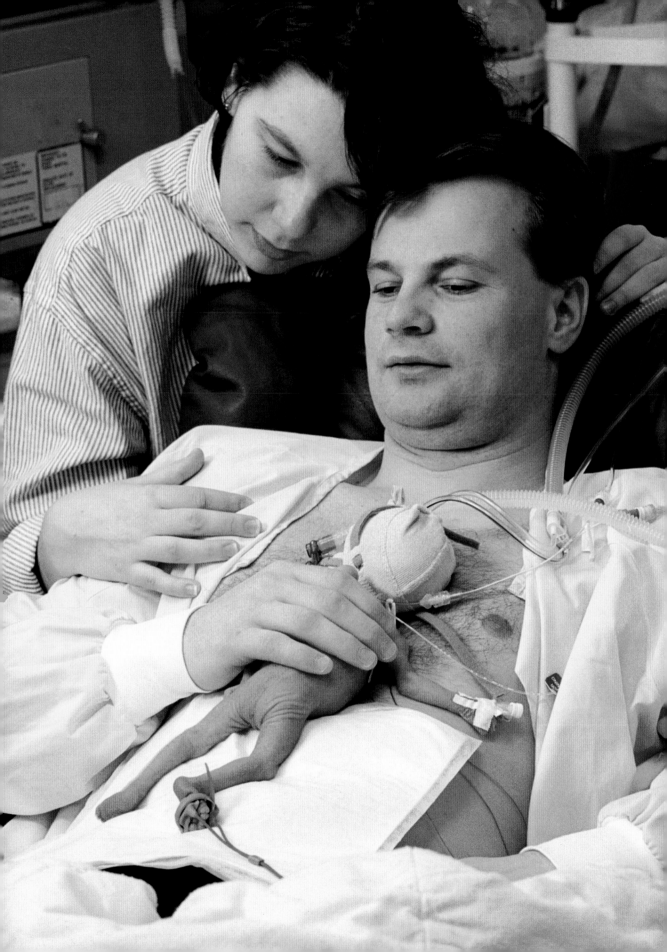

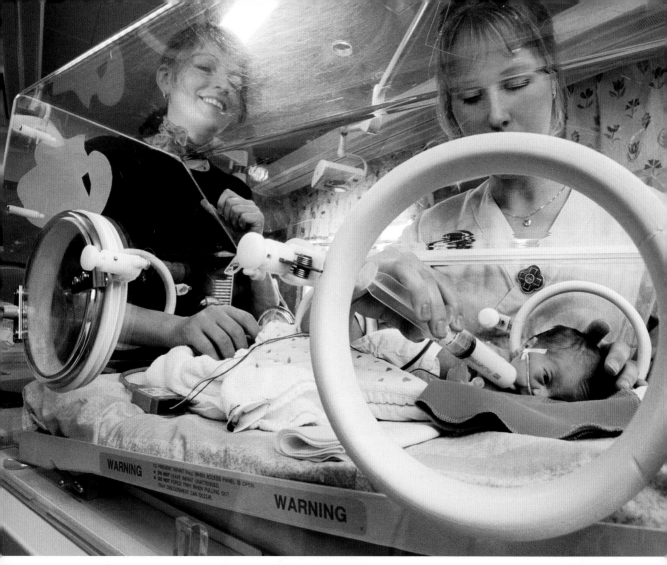

## Un utérus artificiel

Avec tous leurs accessoires,
les couveuses modernes offrent
aux bébés prématurés un
environnement assez semblable
à celui de l'utérus. Elles sont
douillettes, chaudes et exemptes
de virus et de bactéries. On peut
les comparer à des serres :
les enfants s'y développent
plus rapidement et y gagnent
plus vite du poids que s'ils étaient
restés dans l'utérus.

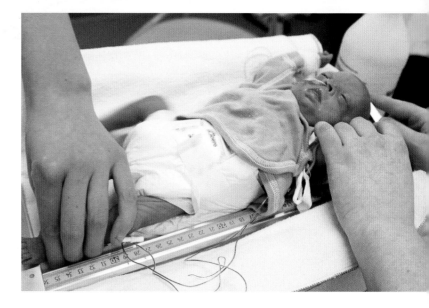

## Chaque semaine compte

Les obstétriciens savent aujourd'hui prévenir les naissances prématurées et assurer aux fœtus quelques semaines supplémentaires dans l'utérus. Le repos au lit pour la mère constitue l'une des mesures les plus fréquentes, et il existe des médicaments qui empêchent l'utérus de se contracter. Une opération chirurgicale mineure, ou cerclage, consistant à maintenir le col fermé, est parfois pratiquée. Elle doit bien sûr intervenir avant que ce dernier ne soit totalement effacé au cours du travail. Comme toujours au cours d'une grossesse, des contrôles réguliers et des mesures de prudence sont essentiels, surtout s'il existe des raisons de craindre des contractions précoces.

Retarder une naissance ne serait-ce que de deux semaines peut suffire, par exemple, pour permettre aux poumons de se développer, rendant la respiration plus facile pour l'enfant et l'apport en oxygène aux organes suffisant. Les traitements à base de cortisone, l'hormone du stress, accélèrent la maturation des poumons. Même lorsque du liquide s'enfuit de la cavité amniotique par une fissure de sa paroi, la grossesse peut être poursuivie. Le liquide amniotique est renouvelé en permanence, et, avec du repos au lit et une surveillance attentive, il est possible de retarder la délivrance de plusieurs semaines. Il existe toutefois un risque accru d'infection bactérienne de l'utérus, qui nécessite parfois un traitement antibiotique.

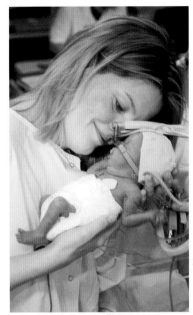

**Deux, mais minuscules**

Les jumeaux courent plus de risques de naître prématurément. En outre, comme ils ont eu à partager espace et nutriments *in utero,* ils pèsent au moins 1 kilo de moins à la naissance que les autres enfants. Une couveuse leur permet de prendre un bon départ. Un contact avec leur mère est indispensable pendant cette période.

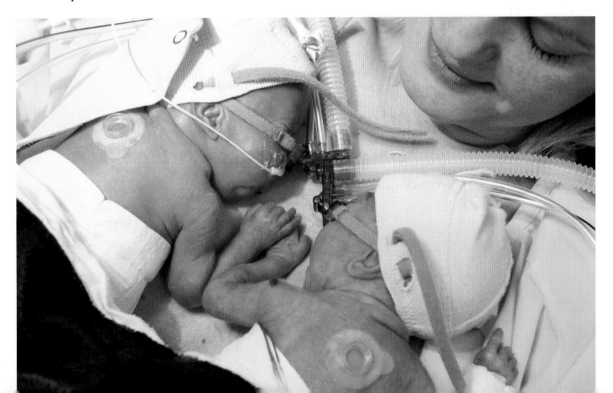

# Pouvoir anticiper

**Le 7ᵉ mois**

Le visage du fœtus est totalement développé, bien que ses joues ne soient pas encore pleines. Les yeux, qui s'ouvrent et se ferment, sont légèrement saillants. Au cours des semaines qui lui restent à passer dans l'utérus, le bébé gagnera environ 2 kilos.

## Une croissance harmonieuse

Les deux tiers de la grossesse se sont écoulés et le fœtus poursuit sa vie dans l'obscurité de l'utérus, baignant dans l'agréable chaleur du liquide amniotique. Au début de cette période, l'utérus est encore un environnement relativement spacieux pour le bébé mais, il s'y trouve bientôt un peu à l'étroit, et beaucoup de fœtus sont alors plus à l'aise la tête en bas. Ils peuvent encore se retourner mais, vers la 36ᵉ semaine, il est possible de dire si un enfant se présentera par la tête ou par le siège.

Le bébé est encore maigre, avec peu de graisse sous-cutanée, et sa peau est rouge et fine. Bien que celle-ci ne prenne pas sa belle apparence rosée avant le dernier mois de grossesse, le fœtus grossit régulièrement d'environ 200 grammes par semaine. Les organes, parmi lesquels les poumons, continuent à se développer et, vers cette période, la fonction respiratoire commence à jouer un rôle important. Elle se manifeste parfois par un hoquet, provoquant chez la mère des contractions abdominales rythmiques. Les coups de pied dans la paroi utérine signalent que le réflexe de la marche est en place, comme on le vérifiera dès la délivrance. Le réflexe de succion est largement testé durant cette période, car il sera mis à contribution dès la naissance.

Lorsque la future mère entre dans la 27ᵉ semaine de grossesse, les yeux et les paupières du fœtus sont si bien développés que ces dernières sont désormais ouvertes et clignent à intervalles réguliers. L'ouïe se développe et s'affine également, et l'on pense que le fœtus perçoit de plus en plus les bruits du monde extérieur.

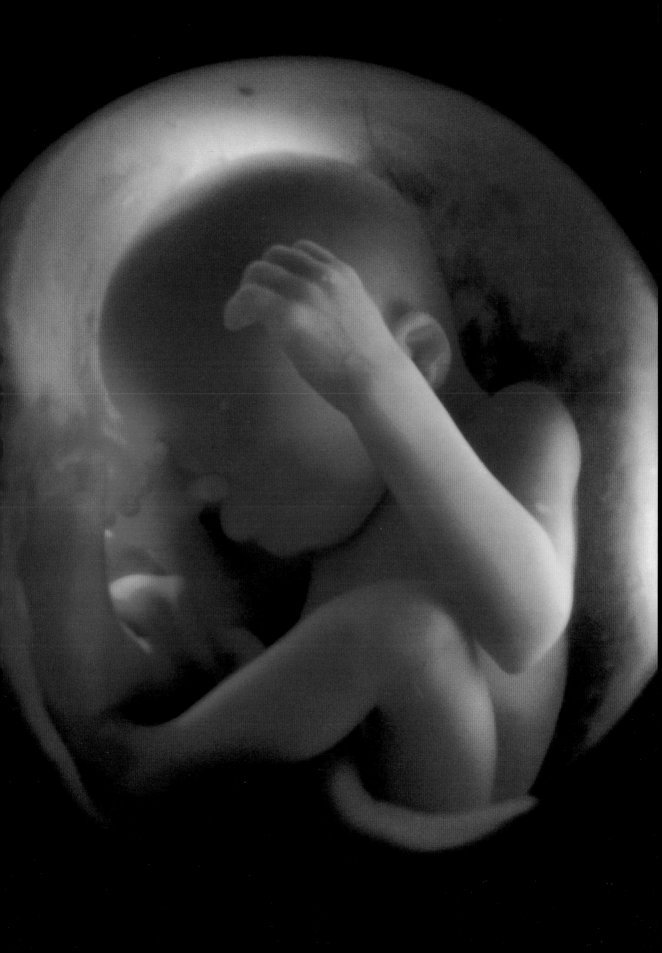

**Des similitudes**

À 9 semaines de grossesse,
les organes génitaux des garçons
et des filles sont semblables.
La petite excroissance située entre
les jambes deviendra par la suite
un pénis ou un clitoris.

## Fille ou garçon ?

Comme nous l'avons vu, c'est le code génétique qui détermine le
sexe du bébé, les filles ayant deux chromosomes X et les garçons un
chromosome X et un chromosome Y. Un gène particulier du chromosome Y, connu sous le nom de gène SRY, est essentiel pour
le développement normal du fœtus masculin. Un autre facteur
important qui contribue à la « différenciation sexuelle » est
constitué par les cellules de la membrane vitelline, qui participent
au développement des organes génitaux internes et externes.

## Les organes génitaux masculins

À la 17ᵉ semaine, on peut distinguer assez facilement le pénis (à gauche). Les testicules, qui contiennent déjà des spermatozoïdes immatures, sont encore dans la cavité abdominale (à droite). Ils ne descendront dans le scrotum qu'à la fin de la grossesse, et même parfois après la naissance.

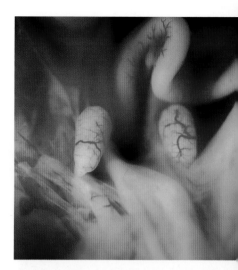

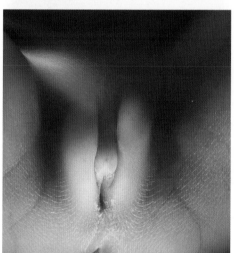

## Les organes génitaux féminins

Vers le milieu de la grossesse, le clitoris d'une petite fille se distingue clairement car les grandes lèvres ne sont pas encore développées (à gauche), mais, dans certains cas, il peut être difficile de distinguer un clitoris d'un pénis à l'échographie. En bas, à droite, les ovaires d'une petite fille, qui contiennent déjà 2 millions d'ovules immatures.

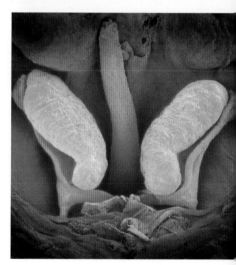

Les organes génitaux commencent à se former au stade embryonnaire, aux 8ᵉ et 9ᵉ semaines de grossesse ; à cette période, ils sont identiques chez les garçons et chez les filles. Un petit bourgeon apparaît entre les jambes, qui se développera pour constituer le pénis chez les garçons, le clitoris chez les filles. Progressivement, des tissus se forment de chaque côté d'une fente. Ils fusionneront afin de constituer le scrotum chez les garçons, et formeront la paroi vaginale chez les filles, la fente ne se refermant pas.

## Les ennuis de fin de grossesse

Beaucoup de femmes ont vécu leur grossesse comme une chose facile et agréable. À mesure que la naissance approche, certains petits (ou gros) problèmes peuvent toutefois apparaître. L'acidité gastrique et les brûlures d'estomac sont fréquentes, surtout vers la fin de la grossesse, bien qu'il existe aujourd'hui des sirops et des comprimés pour les traiter. Ces médicaments n'entrant pas dans le flux sanguin de la mère, ils ne présentent pas de danger pour le fœtus.

Les crampes aux jambes, mises sur le compte d'une mauvaise circulation, sont courantes dans la seconde moitié de la grossesse. Les femmes qui approchent du terme peuvent aussi souffrir de douleurs irradiant du dos vers les jambes, source d'un inconfort sévère. Elles touchent surtout les futures mères ayant déjà des problèmes de dos, et peuvent être déclenchées par une mauvaise position due au besoin d'équilibrer le poids du ventre.

Les varices et les hémorroïdes ne sont pas rares et font l'objet de bien des plaintes. Ces troubles sont tous deux causés par la pression exercée par l'utérus sur les grosses veines du plancher pelvien. Le sang circule difficilement et se trouve piégé dans ces veines, qui gonflent. À long terme, cela peut endommager les valves qui ont pour fonction d'empêcher le reflux sanguin. Les grosses varices ne disparaissent pas spontanément, mais on ne les opère pas avant au moins trois ou quatre mois après la naissance, lorsqu'il ne reste pas d'espoir de les voir diminuer.

**Le recours aux massages**

Beaucoup de femmes ont mal au dos à la fin de la grossesse. Leurs compagnons, qui ont parfois l'impression d'être de simples observateurs, peuvent trouver là l'occasion de se rendre utiles en les massant.

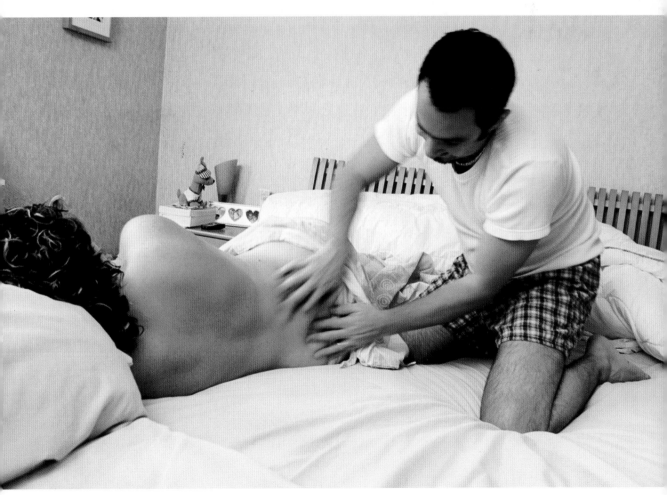

## Un nouveau mode de vie

Le rôle du futur père est important durant la grossesse. Pourtant, quelle que soit sa joie à l'idée de sa paternité, il peut trouver difficile de s'engager autant que sa compagne dans le processus de gestation. Son corps ne change pas, et il n'est pas rare qu'il se sente un peu délaissé. Pour l'homme comme pour la femme, la grossesse est une période de changements, et elle peut modifier leur relation. Souvent, la vie du couple en est affectée. Le désir de la femme peut fluctuer ou même disparaître, et l'homme se sent d'autant plus marginalisé. D'autres couples mettent la grossesse à profit pour approfondir leur relation.

## Stress et tension

Vers la fin de la grossesse, la diastasis de la symphyse pubienne peut poser problème car elle est douloureuse et réduit la mobilité de la femme enceinte. Elle est causée par l'articulation de l'os pelvien, située à l'avant du pubis, qui commence à s'écarter et devient instable. Cette instabilité affecte la marche, et l'articulation peut être extrêmement douloureuse à la pression. La diastasis de la symphyse pubienne a pour fonction de favoriser l'expansion du vagin et d'augmenter l'élasticité de ce dernier. Ce problème diminue en quelques semaines après la naissance, et disparaît généralement sans traitement.

Beaucoup de femmes font de la rétention d'eau et ont tendance à gonfler durant leur grossesse. Mais une rétention d'eau sérieuse, ou œdème, doit alerter les médecins et les sages-femmes, surtout si la femme a également une tension sanguine élevée et des protéines dans ses urines. Dans ces conditions, il arrive que l'on déclenche le travail plus tôt que ne l'aurait fait la nature. L'œdème peut affecter le corps entier ou être plus prononcé aux bras et aux jambes, rendant impossible le fait de porter des chaussures étroites ou d'ôter ses bagues. Ces symptômes disparaissent habituellement très vite après la naissance.

Dans beaucoup de pays, les femmes enceintes sont considérées et traitées par ceux qui les entourent comme des créatures faibles et délicates. Pourtant, tant pour des raisons physiques que psychologiques, il est ridicule qu'une femme ne fasse rien sauf se reposer pendant toute sa grossesse. Certaines femmes continuent à travailler presque jusqu'à la naissance de leur enfant lorsqu'il n'y a pas de complications. Il arrive toutefois qu'une femme soit amenée à changer la nature de son travail. Par exemple, une hôtesse de l'air restera à terre, et une femme qui manipule des solvants chimiques pourra demander à changer de poste. Une future mère devra aussi éviter les travaux trop stressants. En effet, le stress a des effets négatifs, tant sur la mère que sur l'enfant, et c'est une des principales raisons des arrêts de travail en cours de grossesse.

Les équipes médicales des maternités, habituées à tous ces problèmes, sont à même de conseiller les femmes et de les aider.

**Plus lourd de jour en jour**

Le bébé grossit régulièrement et demande de plus en plus au corps de la mère. Durant le 7e mois, beaucoup de femmes qui avaient supporté leur grossesse sans problème éprouvent le besoin de ralentir un peu leur rythme. La plupart d'entre elles travaillent encore, mais une femme qui a un travail très stressant ou fatigant peut s'arrêter plus tôt.

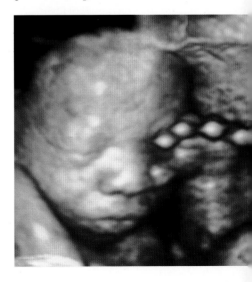

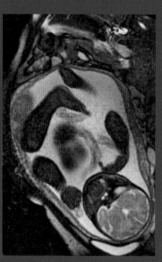

# La dernière ligne droite

Il reste un mois avant l'accouchement, mois durant lequel le bébé gagne 1 kilo pour atteindre son poids de naissance. À ce stade, il n'y aura pas de problème si l'enfant naît. Statistiquement, la majorité des jumeaux sont sur le point de venir au monde.

Environ 95 % des enfants ont la tête en bas, leur crâne appuyant contre le plancher pelvien de leur mère. Celle-ci respire souvent plus facilement, car le bébé est descendu.

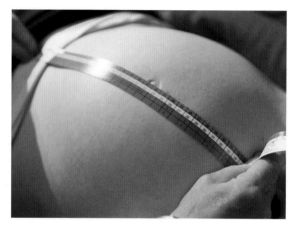

### Des examens précis

À chaque examen, la sage-femme ou le médecin vérifie la tension sanguine de la femme, mesure son ventre, la pèse et s'assure que ses urines ne contiennent ni sucres ni protéines. S'il s'agit d'une première grossesse, la tête du bébé est généralement logée fermement dans le plancher pelvien. Il ne peut plus se retourner et se présenter par le siège (présentation qui nécessite souvent une césarienne). Certains bébés ne semblent pas se décider à se placer la tête en bas et, à la 36ᵉ semaine, il est parfois possible de les y inciter par des pressions et des massages sur le ventre de la mère.

| Semaines | 5 | 10 | 15 |
|---|---|---|---|

| Mois | 1 | 2 | 3 |
|---|---|---|---|

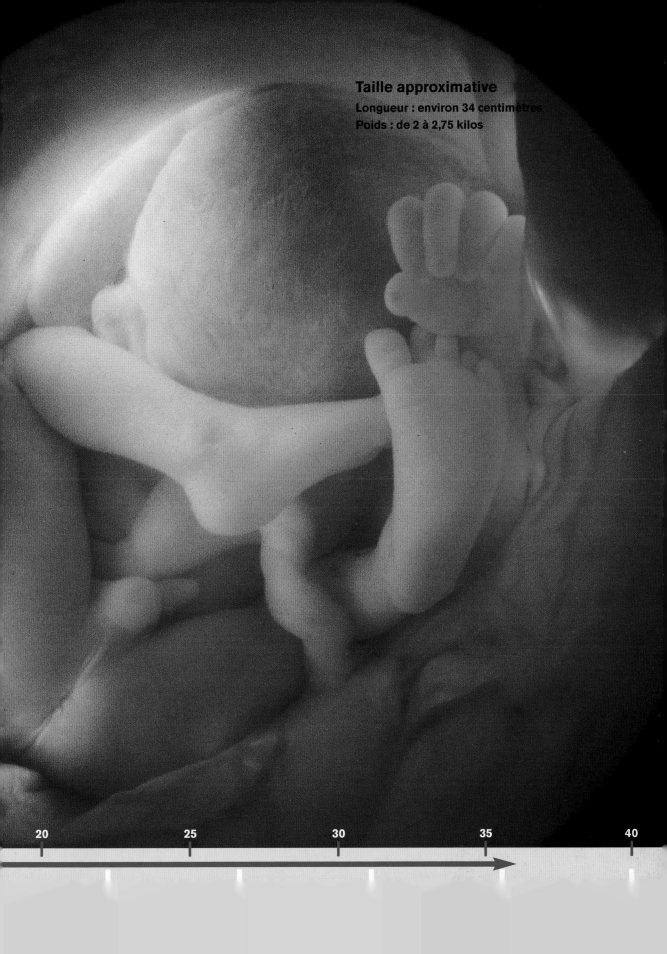

Taille approximative
Longueur : environ 34 centimètres
Poids : de 2 à 2,75 kilos

20        25        30        35        40

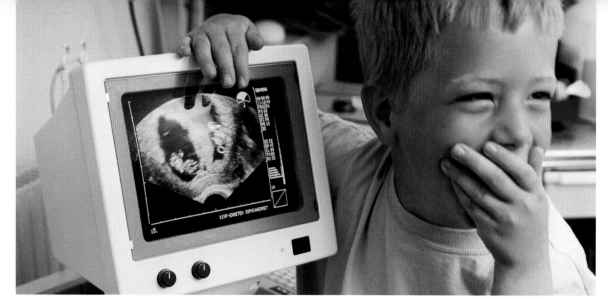

### Regarde ! Il y en a deux !

Soudain, deux silhouettes apparaissent sur l'écran. À la 10ᵉ semaine, l'échographie peut révéler que la famille ne va pas s'agrandir d'un membre, mais de deux. Pour un grand frère, la découverte peut être très excitante. Mais ses parents auront sans doute besoin d'un peu de temps pour s'habituer à la nouvelle. Deux bébés au lieu d'un, serons-nous à la hauteur ?

## Un, deux… ou plus ?

Les naissances multiples sont devenues plus courantes au cours des deux dernières décennies en raison des nouveaux traitements contre la stérilité. Lorsque seule la nature s'en mêle, de 2 à 3 % des grossesses s'achèvent par la naissance de jumeaux. Ceux-ci peuvent être identiques (homozygotes) ou non identiques (hétérozygotes). Quand un ovule est fertilisé par un spermatozoïde, toutes les cellules ont le même code génétique. Si l'œuf se divise en deux après un peu plus d'une semaine, il y a assez de cellules pour que deux embryons se développent, donnant deux individus qui auront exactement le même code génétique. Ce seront soit deux garçons, soit deux filles. Leur ressemblance dépendra de l'environnement utérin. Les jumeaux de sexes différents sont toujours hétérozygotes. Dans ce cas, l'ovaire a libéré deux ovules au lieu d'un ; ce phénomène est plus courant chez les femmes relativement âgées, ou après un traitement hormonal. Bien sûr, des « faux jumeaux » peuvent être du même sexe, mais ils ne se ressembleront pas plus que les autres frères ou sœurs. Il existe aujourd'hui des tests génétiques qui permettent de déterminer si des jumeaux sont ou non homozygotes, et l'échographie peut donner des informations utiles à ce sujet avant la naissance. L'analyse minutieuse du sac amniotique après la délivrance peut aussi apporter des preuves.

Près de 25 % des fertilisations *in vitro* donnent lieu à la naissance de jumeaux, et les personnels des services d'obstétrique ont eu à se familiariser avec les conditions particulières de ces grossesses, qui concernent de plus en plus de femmes. Une femme qui porte des jumeaux peut s'attendre à avoir plus ou moins de problèmes

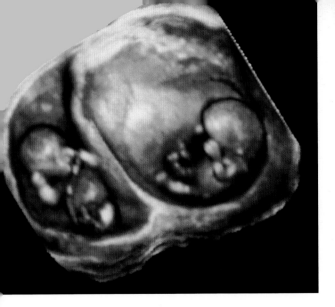

### Jumeaux hétérozygotes

Si deux ovules ont été libérés par l'ovaire, sont entrés dans une trompe de Fallope et ont été fertilisés par deux spermatozoïdes, deux embryons peuvent se développer. Des jumeaux hétérozygotes n'ont pas le même code génétique et peuvent être de sexes différents. Ils ne se ressemblent pas plus que des frères et sœurs non jumeaux.

pendant sa grossesse. Son ventre s'arrondira plus vite, et elle présente un risque accru de souffrir d'une tension sanguine élevée, d'œdème ou d'anémie. Ces grossesses sont dites « à risque », pour la mère et pour les enfants. En grossissant, les fœtus doivent lutter pour l'espace, et parfois aussi pour avoir accès aux nutriments et à l'oxygène. La mère doit subir des examens réguliers, y compris des échographies et des analyses de sang, pour vérifier la manière dont les deux bébés supportent la gestation.

Beaucoup de femmes qui attendent des jumeaux trouvent la fin de leur grossesse très éprouvante en raison de la taille de leur ventre. Le mal de dos est un problème fréquent, et il n'est pas facile de trouver une position confortable pour dormir. Même lorsqu'elles prennent beaucoup de repos et suivent tous les conseils de leur médecin, les mères ont tendance à accoucher environ trois semaines avant terme. Il n'y a tout bonnement plus assez de place dans l'utérus, et le placenta ne peut plus continuer à accomplir son rôle pour deux bébés. Les jumeaux pèsent souvent environ 1 kilo de moins que les autres nouveau-nés, avec un poids moyen de 2,5 kilos, contre 3,5 kilos pour les naissances uniques.

Dans certains cas, il existe un risque accru lorsque les jumeaux naissent par la voie vaginale. Pourtant, une femme qui attend des jumeaux et a déjà eu un accouchement normal peut tout aussi bien donner naissance de la même manière à des jumeaux. Toutes les naissances gémellaires sont planifiées et suivies avec un soin particulier. Une césarienne est parfois prévue mais, si tout se déroule normalement, une délivrance par voie vaginale est préférable.

### Jumeaux homozygotes

Il arrive qu'un ovule fertilisé se divise en deux avant son implantation dans l'utérus et que des embryons identiques se développent. On ne sait pas aujourd'hui avec certitude pour quelle raison.

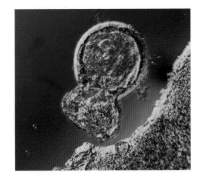

### Contractions prématurées

Sous l'effet d'un coup de pied particulièrement vigoureux du fœtus, l'utérus peut se contracter et le ventre de la mère devenir dur comme une pierre. Ces contractions durent moins d'une minute, mais peuvent se répéter pendant une demi-heure ou plus.

## La naissance approche

Quelques semaines avant la naissance, le temps semble s'inverser. Le bébé a trouvé sa place, le ventre de la mère est parfois un peu moins gros et sa respiration est plus aisée. Les fourmillements dans les jambes sont fréquents, et le bébé peut donner des coups de pied ou de poing conséquents, ou peser sur la vessie de sa mère, obligeant celle-ci à se précipiter sans cesse aux toilettes. Une sensibilité accrue à la chaleur, des gonflements des mains et des pieds, qui augmentent au cours de la journée, sont fréquents. Le sommeil est difficile, la taille du ventre rendant la position allongée inconfortable. Beaucoup de femmes choisissent alors de dormir en position semi-assise.

Les toutes dernières semaines, il est aussi relativement courant de noter une augmentation de la tension sanguine si la femme se sent ballonnée. Elle peut aussi souffrir de migraines, parfois sévères. Si ces symptômes sont prononcés, une hospitalisation peut être nécessaire. Lorsque le repos ne suffit pas et que, malgré un traitement, la tension reste trop élevée, il peut être décidé de provoquer l'accouchement, pour le bien de la mère et celui de l'enfant. Après la naissance, la tension sanguine revient rapidement à la normale, et les gonflements disparaissent en principe en une semaine ou deux. Les rendez-vous réguliers avec la sage-femme ou le gynécologue rassurent la future mère qui a beaucoup de questions à poser, surtout s'il s'agit d'une primipare. Combien de temps encore à attendre ? Est-ce qu'on provoquera le travail si rien ne se passe à la date prévue ? Y a-t-il plus de risques si le bébé ne naît pas à temps ? Lors de ces rendez-vous, la mère et l'enfant sont examinés, mais le dialogue est également important, tout comme les séances de préparation à l'accouchement qui sont proposées aux parents. On y apprend aux femmes de quelle manière elles peuvent influer sur le déroulement du travail, par exemple en se détendant entre les contractions, et on leur donne toutes les informations utiles sur la façon de limiter la douleur. Il est aussi utile de se renseigner sur ce qui risque d'arriver si les choses ne se passent pas aussi bien que prévu. N'importe quelle femme peut être délivrée par césarienne en situation d'urgence, même si tout semble annoncer une naissance par la voie vaginale.

Certains parents tiennent à visiter la salle de travail un mois ou deux avant la naissance. Le fait de connaître les lieux avant le jour J peut les sécuriser et contribuer à réduire leur peur, surtout pour un premier enfant. Dans l'idéal, le père et la mère devraient effectuer cette visite car ils auront à former équipe le moment venu, avec l'aide de l'obstétricien et de la sage-femme. Ces derniers encouragent d'ailleurs souvent les parents à considérer la naissance comme une aventure commune. La présence du père dans la salle d'accouchement est généralement d'un grand soutien, et il peut parfois participer activement. C'est positif pour les deux parents ; cela leur procure un grand sentiment d'intimité.

Beaucoup d'hommes se souviennent de la naissance de leurs enfants comme étant les expériences les plus fantastiques de leur vie. Toutefois, un accouchement peut aussi être éprouvant pour un père s'il est très long ou s'il survient des complications. Il est de plus en plus fréquent que les pères restent présents dans la salle d'opération en cas de césarienne. Dans ce cas, l'équipe médicale doit être consciente qu'elle est responsable d'un autre « patient », qui risque d'avoir besoin de soutien et d'assistance.

**Un peu de fraîcheur !**

Il est éprouvant d'être enceinte quand il fait chaud. Une femme qui attend un bébé transpire plus qu'à l'accoutumée, et quand le soleil réchauffe la peau de son ventre, même son futur enfant peut le ressentir.

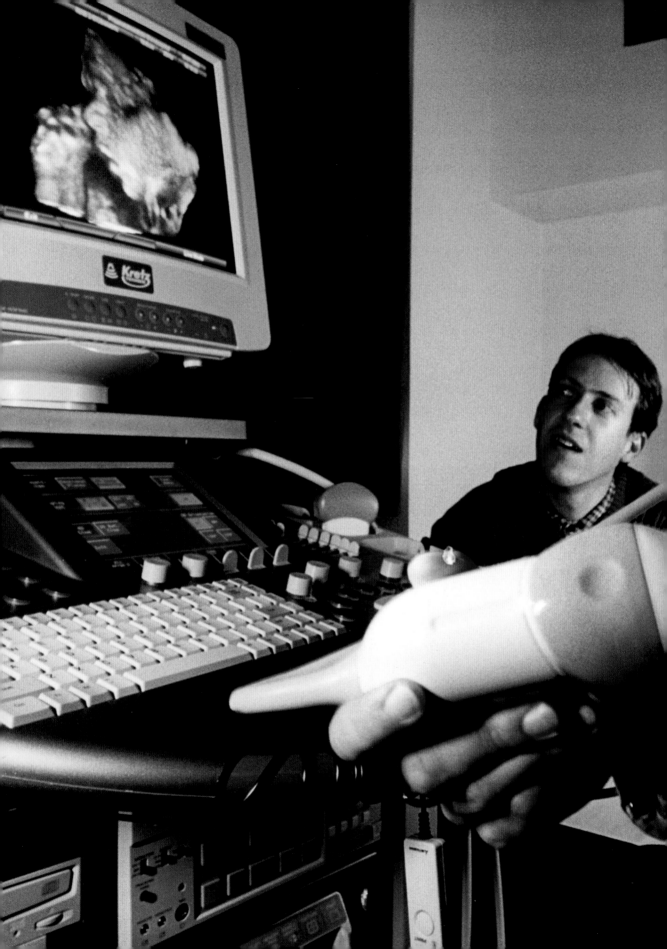

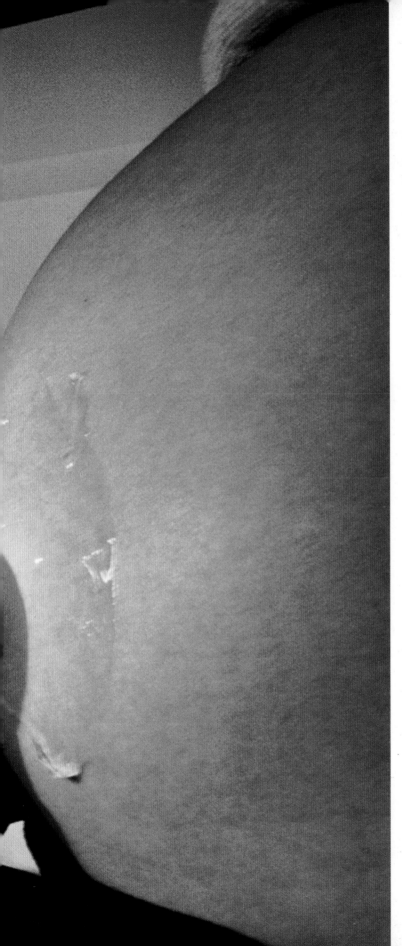

### Plus qu'un mois

On procède parfois à une échographie vers la fin de la grossesse pour mesurer l'enfant, notamment la circonférence et le diamètre de la tête. Il est également important de savoir comment se présente le bébé.

Il est toujours difficile pour le futur père d'assimiler qu'il s'agit bien de son enfant et qu'il va naître d'un jour à l'autre.

*Observer un enfant à naître est un peu comme regarder derrière le rideau avant que la pièce commence.*

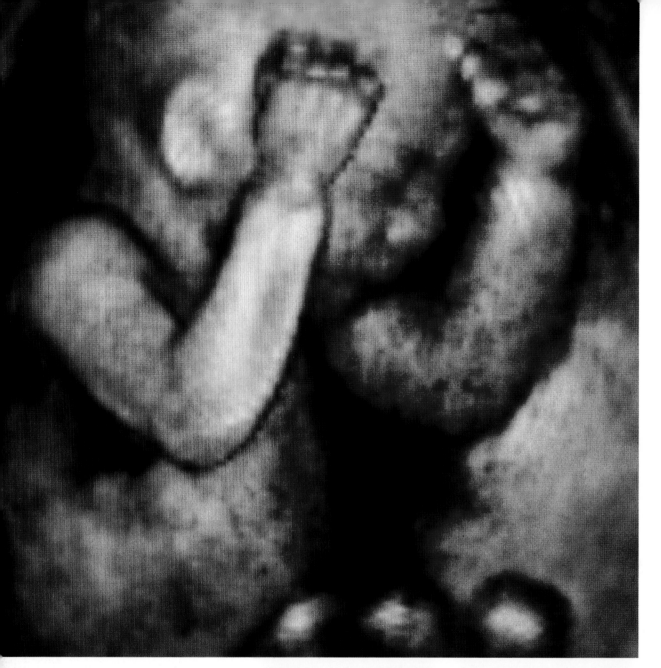

### Caméra magique

Le bébé flotte dans l'utérus, inconscient du fait que le monde extérieur peut voir son image en trois dimensions. À ce stade, les futurs parents peuvent discerner les traits du visage de leur enfant. Ces photos ont été réalisées entre la 32ᵉ et la 38ᵉ semaine.

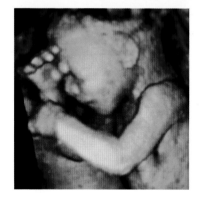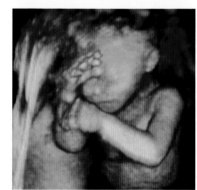

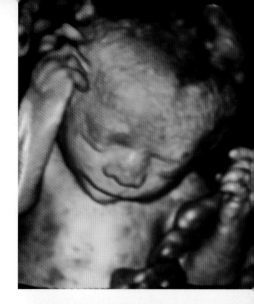

## Portrait d'un enfant à naître

À quoi ressemblera ce bébé ? Dès la 5ᵉ semaine de la grossesse, son visage a commencé à se développer, même s'il n'avait pas encore d'yeux, de nez ou de bouche. Deux semaines plus tard, de petits creux, les futurs yeux, sont apparus sur les tempes, et les narines sont devenues visibles au-dessus de la large ouverture de la bouche. Quelques semaines après, il a déjà l'air plus humain. Le nez a pris forme et est séparé de la bouche par une lèvre. À la 16ᵉ semaine, le visage ressemble vraiment à celui d'un enfant, bien que l'on n'en distingue pas encore vraiment les traits.

Le processus selon lequel la nature modèle un visage peut être comparé à celui par lequel cinq péninsules se développeraient sous la surface de la peau avant de se rencontrer. La première d'entre elles fait saillie entre les yeux, avec des anses de fluide de part et d'autre qui deviendront les narines. Elle formera progressivement le nez et le centre de la lèvre supérieure. Toute interruption de ce processus, due par exemple à une infection virale de quelques jours, peut se traduire par le développement d'un bec de lièvre, défaut qui affole souvent les parents mais qui est aujourd'hui parfaitement corrigé par la chirurgie. Deux autres péninsules affleurent sur les côtés, sous chaque œil, pour former les joues et les côtés de la lèvre supérieure, et les deux dernières se développent sous la bouche pour former la lèvre inférieure et le menton. Les muscles couvrent progressivement cette ébauche avec leurs vaisseaux sanguins et leurs nerfs. Bientôt le visage devient mobile et les premières expressions apparaissent. Le processus est long pour que le visage humain prenne la forme qu'il aura en fin de grossesse.

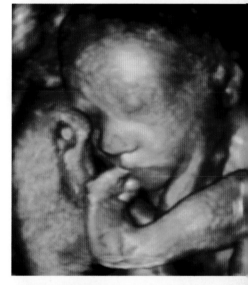

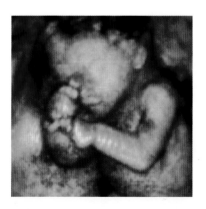

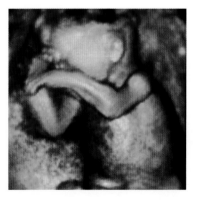

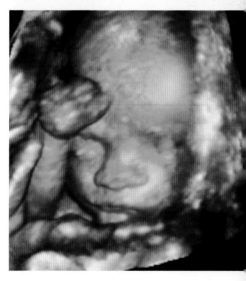

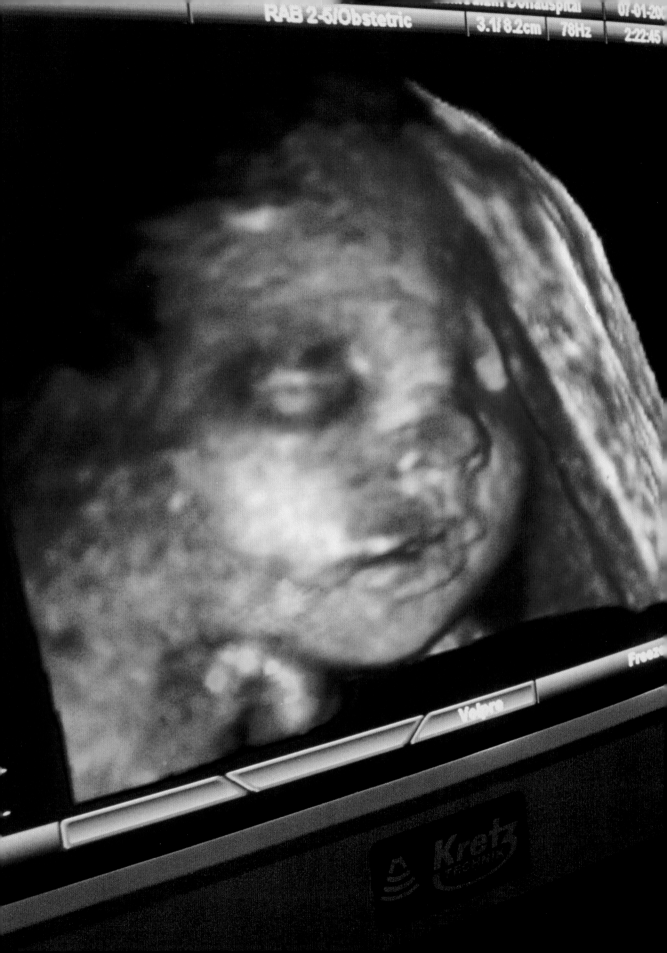

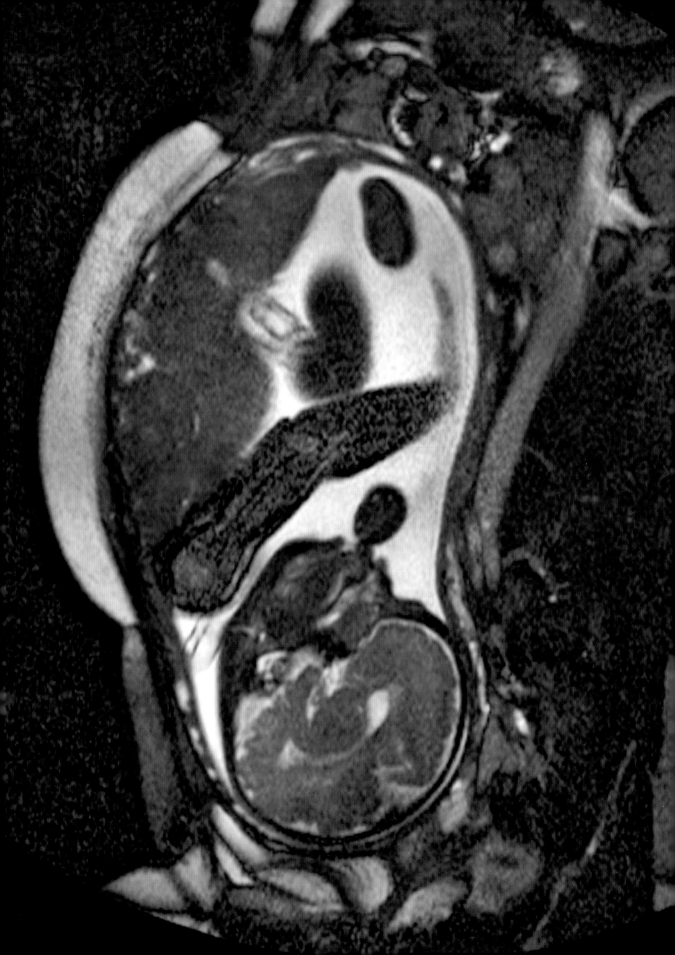

## En retard…

Si le travail ne commence pas spontanément, la durée de la grossesse ne doit pas dépasser quarante-deux semaines. Après ce temps, le placenta risque de ne plus pouvoir assurer son rôle nutritionnel et la quantité de liquide amniotique diminue, entravant la liberté de mouvements du fœtus.

Les femmes enceintes qui ont dépassé la date prévue pour l'accouchement sont suivies de près par les médecins, car un bébé qui ne naît pas de lui-même après quarante-deux semaines n'a rien à gagner à attendre plus longtemps. La femme enceinte entre alors en salle de travail et l'on provoque les contractions. Les vieux remèdes, comme l'huile de ricin ou les lavements, ont été abandonnés au profit de méthodes plus fiables, parmi lesquelles des ouvules ou un gel à base d'hormones (de la prostaglandine), qui est appliqué sur le col de l'utérus pour l'aider à se dilater. S'il a commencé à se dilater seul, il est aussi possible de rompre la poche des eaux pour laisser sortir le liquide amniotique. Cela accélère les contractions, car le bébé descend et son poids détend les muscles du col. Une perfusion de médicament faisant contracter l'utérus peut également être pratiquée. Si tous ces efforts échouent, l'enfant est mis au monde par césarienne.

Les bébés qui ont dépassé le terme normal de la grossesse ont souvent une apparence caractéristique pendant quelques jours, avec une peau sèche et plissée. Ils ressemblent un peu à des petits vieillards, mais ils retrouvent vite leur peau lisse de bébé.

Dépasser le terme est souvent plus difficile à supporter pour une future mère que la grossesse tout entière. Son ventre est pesant, elle est anxieuse et elle a souvent des appels réitérés des grands-parents, anxieux, et de son entourage. Pourtant, la plupart des gynécologues et des obstétriciens estiment qu'il importe d'être prudent lorsqu'il s'agit de provoquer le travail, car les bébés qui passent un peu trop de temps dans l'utérus ont souvent une bonne raison de le faire.

### Qu'attends-tu pour sortir ?

Il arrive que le bébé ne semble pas pressé de voir le monde et qu'il dépasse sans broncher la date de naissance prévue. La photo ci-dessous a été réalisée à l'aide d'un appareil à résonance magnétique nucléaire (RMN), technique sans danger pour la mère et l'enfant.

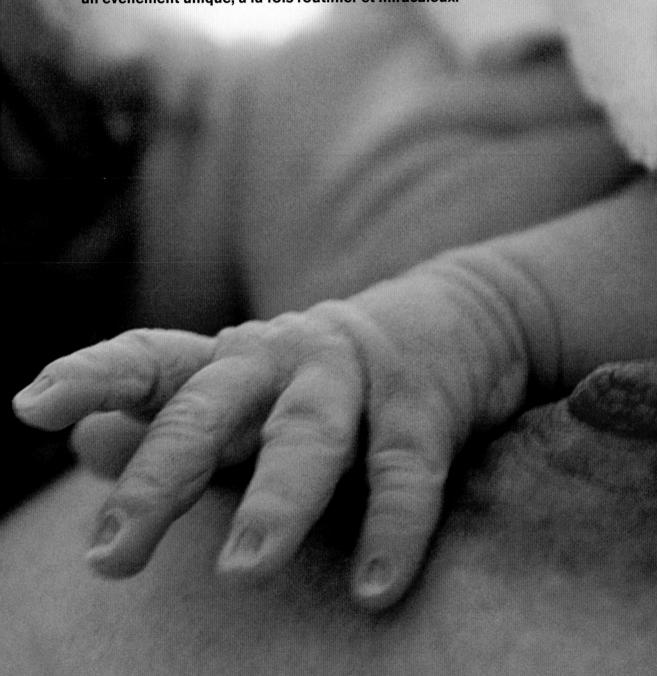

# Le travail et la délivrance

**Épuisé après l'aventure de la naissance, le bébé se blottit contre sa mère. Des milliards de femmes ont donné la vie, mais chaque naissance est un événement unique, à la fois routinier et miraculeux.**

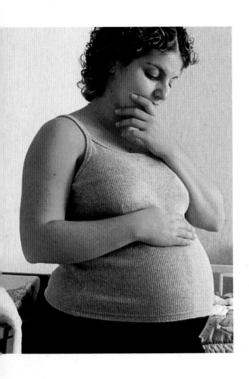

## Le moment est venu

Neuf mois se sont écoulés. La date prévue approche et, pour les futurs parents, chaque jour est plus excitant. Le bébé peut naître à n'importe quel moment, mais comment reconnaître les signes avant-coureurs ? Il existe trois indications qui ne trompent pas : des contractions régulières de l'utérus, la rupture de la poche des eaux et des pertes de sang.

Beaucoup de femmes ont des contractions occasionnelles en fin de grossesse. L'utérus devient dur comme un ballon avant de se détendre. Si ces contractions deviennent de plus en plus fréquentes, revenant régulièrement et avec une intensité accrue, il est possible que le travail ait commencé. Lorsqu'elles se succèdent à intervalles de quatre minutes, il est sage de gagner la maternité ; si celle-ci est loin, il est prudent de partir plus tôt. Il arrive que les contractions s'arrêtent en chemin, et qu'après examen l'obstétricien (ou la sage-femme) renvoie la femme chez elle : c'est très courant. Les contractions peuvent ne reprendre que quelques jours ou même une semaine plus tard. Essayer de déclencher le travail à l'aide de produits pharmaceutiques (ocytocine) administrés en intraveineuse peut induire des complications et n'est généralement pas pratiqué, sauf si certains signes indiquent que l'enfant a besoin de venir au monde le plus vite possible.

Parfois, le premier signe d'une naissance imminente est la perte du liquide amniotique. Dans ce cas, il est temps de partir pour la maternité, même si les contractions n'ont pas commencé. Il arrive qu'une petite perte d'urine due à coup de pied de l'enfant dans la vessie de sa mère soit prise pour la rupture de la poche des eaux. Le bouchon de mucus peut également se dissoudre et donner l'impression d'une perte importante. Si le liquide amniotique est troublé de sang ou du contenu des intestins de l'enfant, ce dernier ne doit pas séjourner plus longtemps dans l'utérus. La rupture de la poche des eaux augmente le risque d'infection. Dans ce cas, le bébé doit être mis au monde dans les deux jours qui suivent.

Si le premier signe d'accouchement est un saignement, il convient de se rendre à la maternité. Bien sûr, plus le saignement est important, plus la situation est urgente, car des morceaux du placenta ont pu se détacher de la paroi utérine, ce qui raréfie la quantité de nutriments et d'oxygène apportée au bébé. Des petits saignements, qui sont les plus courants, sont dus à la dilatation du col de l'utérus se préparant pour la naissance. Le bouchon de mucus qui l'obstruait, souvent teinté de sang, a pu se libérer au cours des premières petites contractions. Les rapports sexuels peuvent aussi causer un saignement. On croyait jadis que les rapports sexuels en fin de grossesse étaient une bonne manière de déclencher le travail, mais on considère aujourd'hui cela comme un mythe.

### Départ pour la maternité

Dans leur majorité, les femmes enceintes savent précisément quand elles doivent partir de chez elles, mais elles sont beaucoup à arriver à la maternité plus tôt que « nécessaire ». Pas d'affolement ! Un accouchement est rarement très rapide.

## Pourquoi le travail commence-t-il ?

Les bébés naissent généralement entre trente-huit et quarante-deux semaines de grossesse. Le moment où commencent les contractions dépend de différents facteurs, et notamment de l'action des hormones. On pense aussi qu'un coup de pied violent de l'enfant aurait une influence. La progestérone, produite par le placenta tout au long de la grossesse et dont la quantité augmente de mois en mois, remplit différentes fonctions, parmi lesquelles assurer que la paroi utérine reste élastique et détendue. Trois autres groupes d'hormones produisant les effets inverses sont également au travail dans l'organisme de la femme : l'ocytocine, les prostaglandines et la cortisone. Pour que le travail commence, la quantité de progestérone sanguine doit diminuer, bien que l'on ne sache pas pourquoi ce phénomène survient vers quarante semaines de grossesse. L'ocytocine est l'hormone la plus importante et la plus utilisée pour provoquer un accouchement. Elle est administrée par intraveineuse. Les prostaglandines assouplissent le col de l'utérus et le préparent aux contractions. En cas de naissance programmée, des prostaglandines sont administrées sous forme de suppositoires vaginaux ou de gel pendant un jour ou deux avant la délivrance.

### Entre les contractions

Se lever entre les contractions, de préférence avec un support, rend le travail plus efficace pendant la phase de dilatation. Progressivement, la douleur devient pourtant si forte que beaucoup de femmes préfèrent rester allongées.

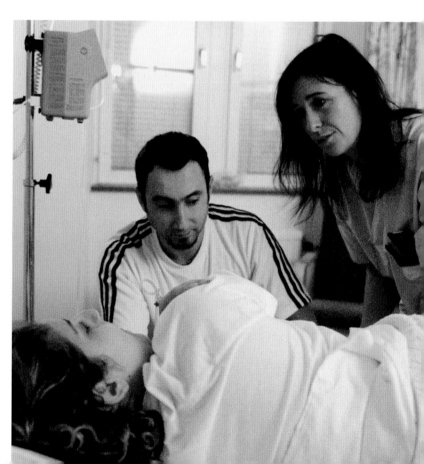

## La dilatation du col

À leur arrivée à la maternité, les futurs parents sont accueillis par une sage-femme et, après une courte procédure d'admission, la mère est examinée pour que l'on sache à quel stade se situe la première phase du travail, ou la dilatation.

Durant la dilatation, des contractions régulières affectent le col de l'utérus, qui devient plus court puis s'efface totalement pour permettre à l'enfant de passer. Il se dilate alors, s'ouvrant jusqu'à 10 centimètres en fin de dilatation. C'est la plus longue phase du travail, qui peut prendre de quinze à vingt heures chez certaines femmes, bien que chez d'autres, surtout celles qui ont déjà accouché, les choses se passent beaucoup plus vite. Durant cette phase, la tête (ou l'arrière-train) du bébé fait pression sur le plancher pelvien. Au cours des premières heures, il est conseillé à la femme de se lever pour marcher pendant les moments de repos.

Pour beaucoup de femmes, la douleur ne survient que par brèves périodes durant les contractions. Le fait de se lever et de marcher peut également avoir un effet positif sur les contractions car, du fait de la gravité, la tête du bébé pèse sur le col de l'utérus et sur le plancher pelvien.

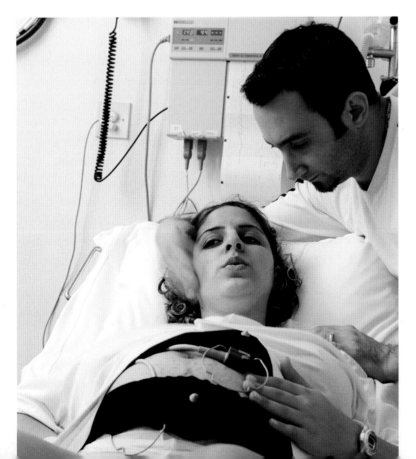

**Contractions rapprochées**

Lorsque les contractions du muscle utérin ne sont plus espacées que de quelques minutes, il peut être nécessaire de soulager la douleur en faisant inhaler à la femme un mélange d'oxygène et d'oxyde d'azote. C'est un moment où le père peut apporter sa contribution. Le monitoring, lui, permet de surveiller les battements du cœur du bébé.

## À propos de la douleur

Historiquement, donner la vie est intimement associé à la douleur, au moins dans l'espèce humaine. Les contractions de l'utérus sont traditionnellement désignées sous le nom de « douleurs ». Il ne fait pas de doute qu'il s'agit d'une forme particulière de douleur, comparable à nulle autre. Bizarrement, beaucoup de femmes l'oublient dès que leur enfant est né, comme si avoir un bébé bien à elles valait la peine de supporter tant de souffrances… C'est ce que l'on appelle le « mal joli ».

On dispose cependant de différents antalgiques qui permettent de soulager les mères au cours des contractions et ce sans risques pour l'enfant. Pourtant, ces dernières années, il semble qu'il émerge un désir de ne plus avoir recours à des méthodes considérées comme non naturelles et que les femmes soient prêtes à tolérer une certaine quantité de douleur. Il est vrai que la tolérance à la douleur est une chose très personnelle, et il est extrêmement important que les équipes médicales des maternités soient prêtes à comprendre les besoins de chaque femme et à réagir rapidement.

La douleur est également ressentie de manière plus intense lorsque l'on est effrayé. Pour cette raison, il est essentiel qu'une femme enceinte soit bien informée de ce qui va lui arriver et qu'elle connaisse le déroulement d'un accouchement.

# Soulager la douleur

### Le protoxyde d'azote

L'une des manières les plus courantes de soulager la douleur est de faire inhaler à la femme un mélange d'oxygène et d'oxyde d'azote. Lorsqu'elle sent une contraction venir, la femme couvre son nez et sa bouche d'un masque dans lequel elle respire. Elle peut contrôler la quantité de gaz qu'elle inhale. Dans les intervalles entre les contractions, elle respire normalement, sans le masque. Chez certaines femmes, ce mélange peut toutefois provoquer de l'anxiété.

### Anesthésie locale

Une anesthésie des nerfs qui entourent le col de l'utérus soulage efficacement la douleur pendant la dilatation, laquelle peut être accélérée par ce procédé. Mais il existe un risque d'affecter le bébé, et les médecins hésitent parfois à utiliser cette méthode.

### La péridurale

La méthode la plus efficace pour soulager la douleur pendant le travail est l'anesthésie péridurale, qui utilise un mélange d'antalgiques puissants et un anesthésique qui bloque la sensibilité des nerfs issus de la moelle épinière. Une péridurale ne peut être pratiquée que par un anesthésiste, qui doit aussi surveiller les quantités de produits administrés, car un dosage excessif pourrait affecter la tension sanguine et la respiration

de la femme. Il arrive que la péridurale prolonge la phase d'expulsion et qu'il soit nécessaire d'utiliser une ventouse ou un forceps. Actuellement se développent des péridurales inhalatives, qui permettent une déambulation très appréciée.

### L'anesthésie de la région pelvienne

L'anesthésie locale du plancher pelvien au cours de la dernière étape du travail était jadis largement utilisée. On n'y a aujourd'hui recours que dans les cas où la naissance nécessite une ventouse ou des forceps, ou quand une épisiotomie se révèle nécessaire.

### L'acupuncture et l'hypnose

Ces deux disciplines constituent des alternatives utilisées dans certaines maternités. Ces traitements semblent aujourd'hui gagner du terrain. De nombreuses femmes semblent désormais avoir confiance en leur efficacité.

### Les solutions salines

Des injections sous-cutanées de quantités minimes d'une solution salée, ou l'administration de légers chocs transcutanés, ont un effet efficace et ne présentent aucun danger sur la libération des endorphines par l'hypophyse.

### Les massages et les traitements par la chaleur

Ces méthodes, utilisées depuis des temps immémoriaux, ont aussi leur place dans ce chapitre. Le massage manuel rassure toujours, tout comme d'autres techniques traditionnelles.

### La confiance

La peur et la douleur sont intimement liées. Un environnement amical et sécurisant peut agir aussi efficacement que des remèdes contre la douleur, la présence et la participation du père étant considérées comme essentielles par les équipes médicales.

## Les positions

Certaines femmes choisissent d'accoucher allongées, d'autres à genoux ou accroupies. Il n'existe pas de règle, hormis celles que risquent de fixer les équipes médicales. Certaines sont plus arrangeantes que les autres.

## L'expulsion

La seconde partie de l'accouchement est appelée la « phase d'expulsion », et elle dure du moment où l'enfant passe le plancher pelvien jusqu'à celui où il est né. La mère ressent souvent une pression sur son rectum, après laquelle elle a le réflexe de pousser. Il est important qu'elle soit active durant cette phase, qu'elle pousse pendant les contractions et qu'elle se détende le plus possible entre celles-ci, en respirant profondément et calmement. Certaines femmes éprouvent du soulagement à pousser, alors que d'autres trouvent que c'est la partie la plus douloureuse du travail et sont effrayées par la puissance de ce réflexe.

Il y a seulement une centaine d'années, les enfants naissaient à la maison et les femmes devaient accoucher de bien des manières et dans des positions différentes. Aujourd'hui, les femmes accouchent à l'hôpital pour des raisons de santé et de sécurité, particulièrement pour l'enfant. Les sages-femmes et les médecins sont à même de surveiller le travail et l'activité cardiaque du fœtus, de connaître sa position exacte, etc.

Dans ces conditions, il est plus facile pour l'équipe médicale que la femme s'installe sur une table d'accouchement, l'enfant se trouvant ainsi en position semi-inclinée.

Ces dernières années, la tendance a été à une plus grande liberté dans le choix d'une position, même dans les services hospitaliers. Les avis restent toutefois partagés en ce qui concerne la meilleure position pour accoucher, la moins douloureuse et la plus « naturelle » du point de vue de la future mère et de celui des médecins et des sages-femmes.

**Poussez ! Continuez ! Arrêtez !**

Au moment de l'expulsion, la sage-femme donne ses instructions et peut sembler quelque peu péremptoire. Il est très important qu'une bonne communication s'établisse entre la parturiente et la sage-femme. La naissance est plus rapide, et les risques d'épisiotomie sont réduits.

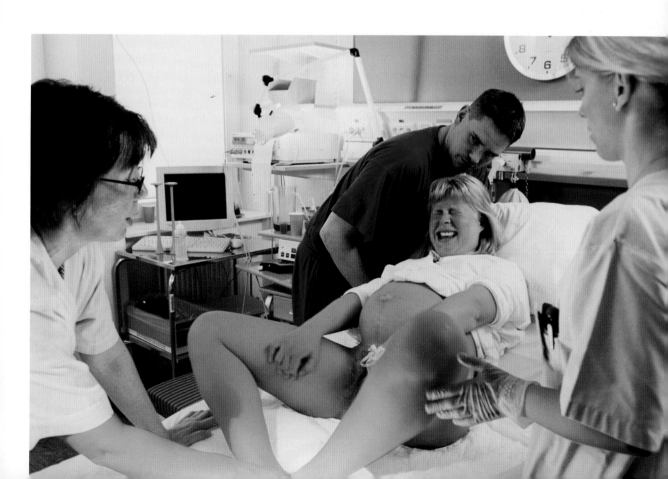

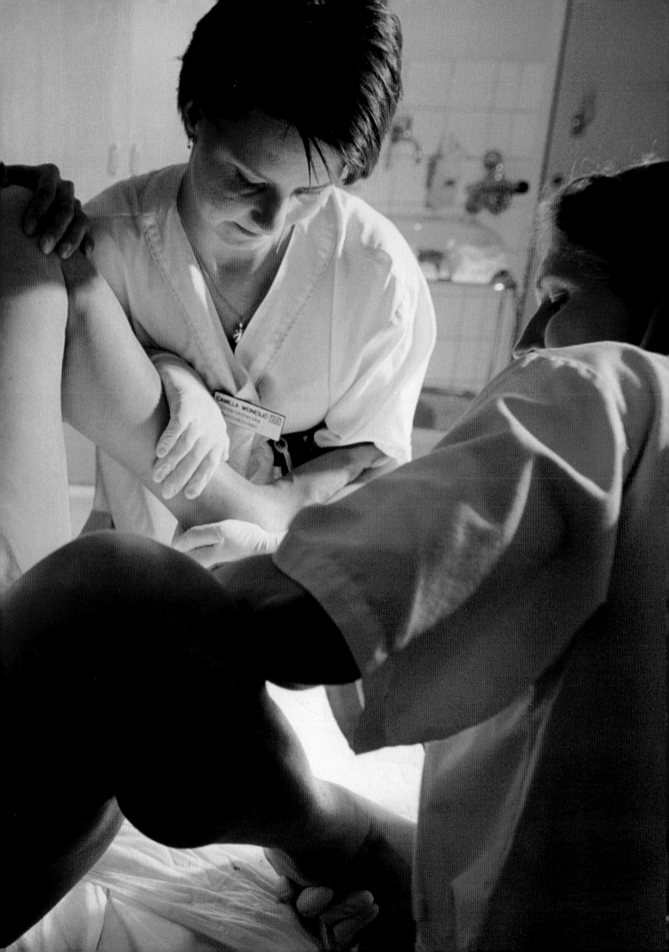

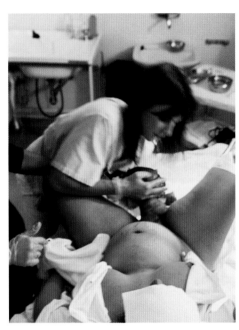

### La naissance

La tête est expulsée hors de l'ouverture du vagin. Dès qu'elle le peut, la sage-femme saisit doucement le menton du bébé afin d'avoir une prise ferme. Le corps doit parfois pivoter légèrement pour faciliter la naissance. En principe, le bébé est expulsé en quelques secondes.

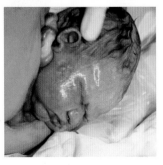

## *Bébé en vue !*

Le bébé naît parfois après quelques fortes contractions, mais le processus est souvent plus long. Il dure en principe moins de deux heures, bien que les femmes dont c'est le premier accouchement doivent parfois être plus patientes. À ce stade, plus encore qu'aux précédents, une coopération entre toutes les parties — mère, père et sage-femme — est essentielle.

Parfois, une épisiotomie, petite incision entre l'ouverture du vagin et l'anus, rend la naissance plus facile pour le bébé. Elle est pratiquée pour accélérer l'accouchement et/ou pour réduire le risque de blesser le muscle rectal de la mère. Parfois, une ventouse en métal ou en caoutchouc est utilisée. Elle est placée sur la tête du bébé, et la sage-femme ou le médecin tire lentement et méthodiquement au moment des contractions. Les bébés nés par cette méthode, dite « extraction par ventouse », gardent souvent une marque sur la tête durant quelques semaines, mais cette pratique est parfaitement sans danger.

Dans beaucoup de pays, on utilise encore un forceps, composé de pinces (en forme de cuillères) qui permettent de saisir la tête sans blesser le bébé, mais c'est de moins en moins courant en France. Le choix de l'instrument dépend de la pratique et de l'expérience du médecin, et varie d'un pays à l'autre.

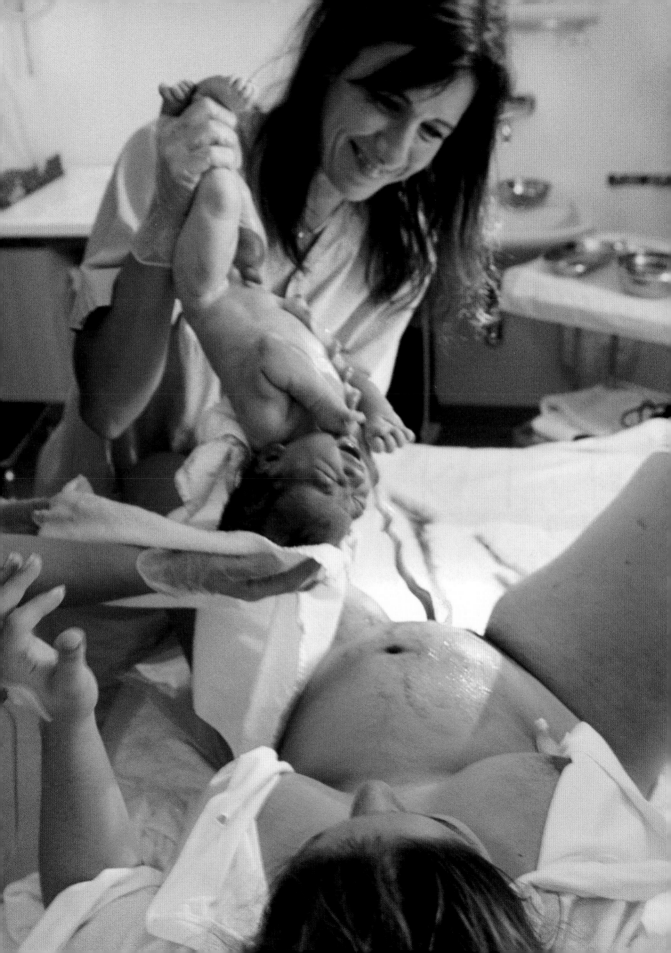

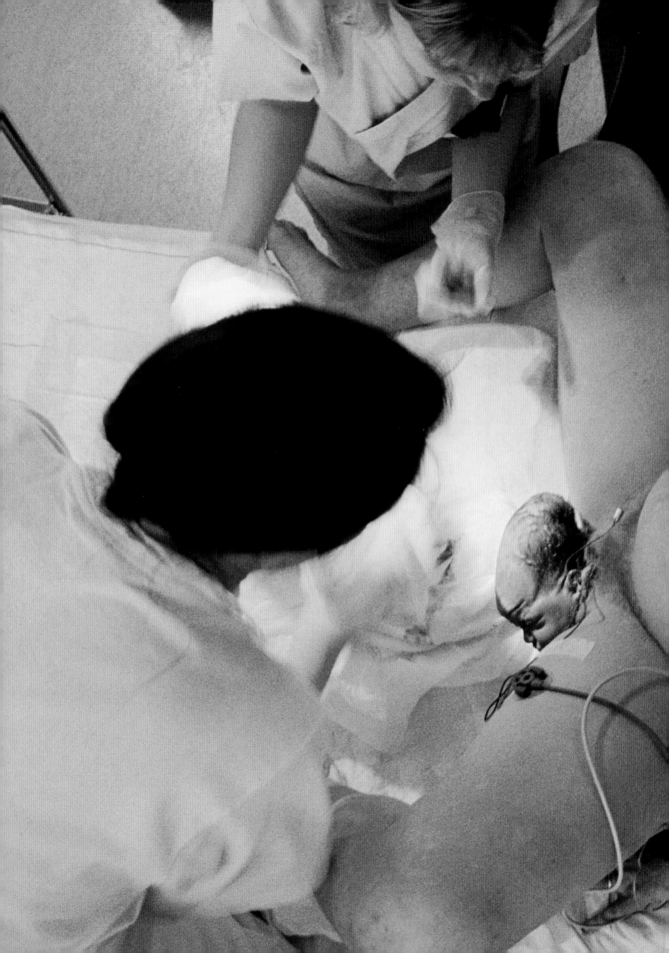

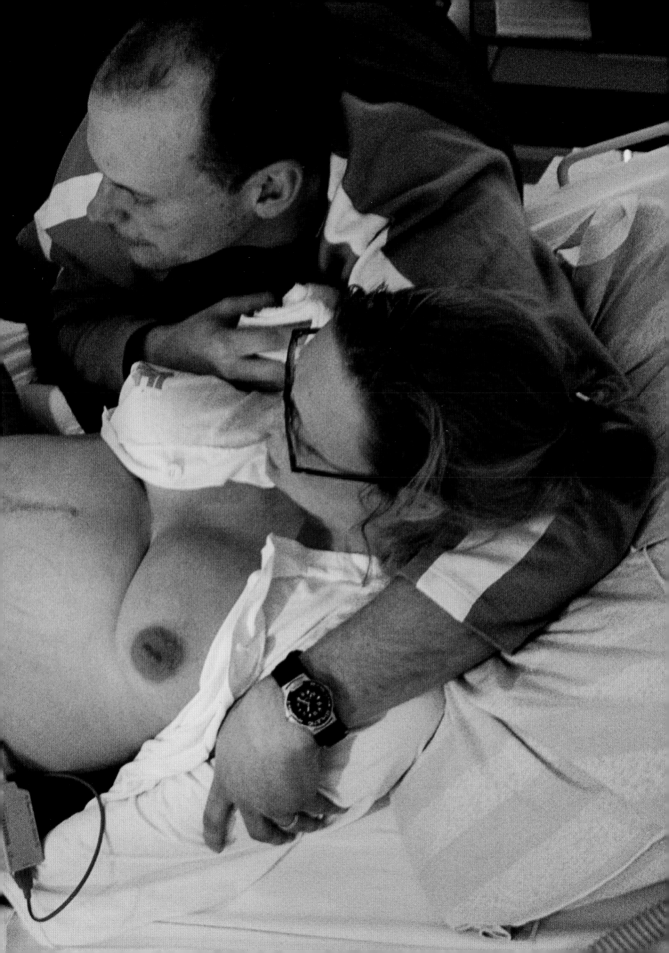

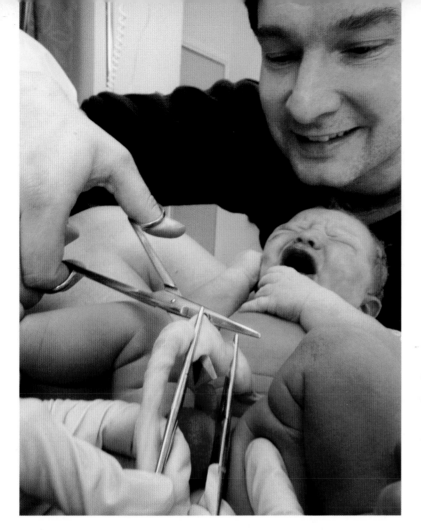

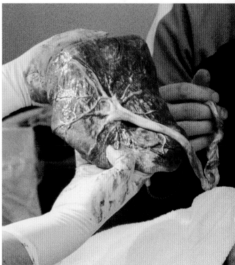

## Impressions fortes

Couper le cordon ombilical constitue une expérience fantastique pour beaucoup de pères. Pour le bébé, c'est le début d'une nouvelle vie sans assistance directe, si ce n'est (et ce n'est pas rien) celle que pourront lui apporter ses parents sur les plans affectif et matériel.

## L'inspection du placenta

La sage-femme ou l'obstétricien inspecte le placenta à la recherche d'anomalies. Le moindre fragment qui serait resté dans l'utérus pourrait causer des saignements importants pendant plusieurs semaines après l'accouchement.

## *Bienvenue !*

Au moment où le bébé est expulsé et où son cordon ombilical est coupé, ses poumons vont devoir faire la preuve de leur capacité à fonctionner. Son premier cri va amener l'air dans ses cavités pulmonaires, provoquant une toux réflexe qui lui permet d'expulser le mucus qui pouvait s'y trouver. Il est parfois nécessaire de lui donner de l'oxygène pour extraire tout le phlegme, ou encore d'utiliser un tube. La sage-femme prend des notes précises concernant la respiration du bébé, la couleur de sa peau et sa tonicité musculaire. La mère a encore un travail à effectuer pour évacuer le placenta et le sac fœtal. Le processus peut durer de quelques minutes à plus d'une heure. Lorsque le bébé est posé sur la poitrine de sa mère, le placenta est évacué plus rapidement. Après cela, la sage-femme examine soigneusement la mère pour voir s'il n'y a pas de déchirures au périnée ou entre les lèvres. Les petites déchirures guérissent toutes seules, mais les plus importantes nécessitent des points.

## Grande fatigue

Après plusieurs heures d'efforts, le bébé découvre le monde. Tout est nouveau pour lui : l'air, la lumière, les bruits. Le corps de sa mère lui apporte chaleur et sécurité au milieu de toute cette confusion.

## Stress et hormones

La naissance a été très stressante pour le bébé qui, à chaque contraction, a été pressé fortement avec le placenta et le cordon ombilical, à tel point que ses apports en oxygène s'en sont trouvés réduits. En vérifiant le rythme cardiaque du bébé grâce à une électrode placée sur sa tête, il est possible à tout moment de l'accouchement de savoir à quelle vitesse bat son cœur. Parfois son rythme cardiaque se ralentit, surtout durant les contractions ; si tout se passe bien, il récupère vite et son apport en oxygène revient rapidement à la normale. Si son rythme cardiaque s'accélère ou reste trop lent entre les contractions, une intervention est nécessaire. Par exemple, la mère pourra être couchée sur le côté pour recevoir de l'oxygène ou, si elle était placée sous ocytocine, les quantités en seront réduites.

Les nouveau-nés ont une capacité fantastique à surmonter le stress. Les glandes surrénales jouent en cela un rôle particulièrement important, car elles sécrètent de grandes quantités d'adrénaline et de noradrénaline dans le système sanguin, maintenant le rythme cardiaque et facilitant le travail du cœur. Les apports en oxygène au cerveau sont ainsi augmentés. Jamais encore dans sa vie le bébé n'aura autant d'hormones antistress dans le sang : naître est une fête !

Les hormones jouent aussi un rôle majeur pour préparer les poumons à la vie hors de l'utérus. L'adrénaline, notamment, permet de réduire l'accumulation de fluides qui remplissaient les cavités des poumons avant la naissance. Les signes indiquant que les poumons fonctionnent bien sont une peau rosée, des muscles toniques et des cris vigoureux. C'est le moment où tous les mécanismes complexes que le bébé avait testés dans l'utérus vont être mis à l'épreuve.

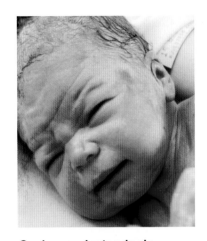

**Quelques minutes de vie**

Le bébé louche et l'adrénaline court à travers son corps, enclenchant le processus de la respiration. Il lui faudra un peu de temps avant de prêter attention à ce qui l'entoure.

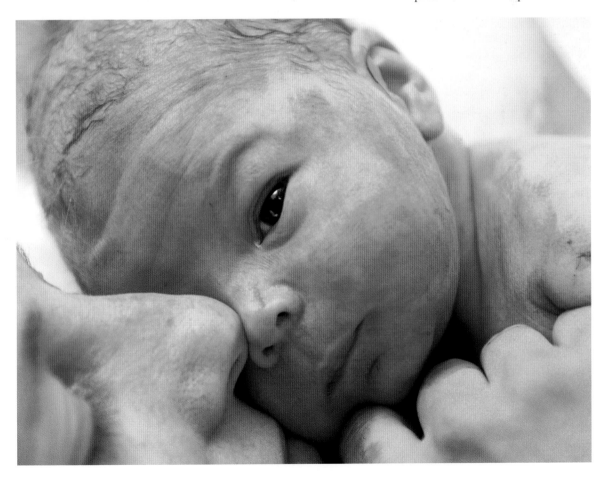

**Des moments magiques**

Au début, le bébé est bien éveillé,
ne s'endormant brièvement que
lorsqu'il a trouvé les seins.
Le calme succède à l'activité,
l'harmonie au chaos. Le monde
a tout le temps d'être découvert.

## *Les premiers contacts*

Sur le ventre de sa mère repose un petit enfant, chaud et vigoureux.
Toutes les frayeurs des parents sont oubliées, tout comme la douleur de la mère. Les puéricultrices sont préparées à attendre un peu
avant de baigner, de mesurer et de peser le nouveau-né. Juste après
la naissance, ce dernier est généralement bien réveillé et alerte en
raison de l'énorme quantité d'adrénaline sécrétée par ses glandes
surrénales. Après moins d'une heure toutefois, tout ce remue-
ménage aura raison de lui, et il s'endormira paisiblement.

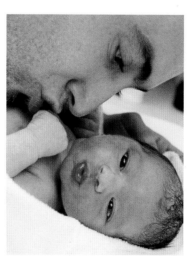
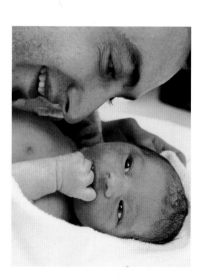

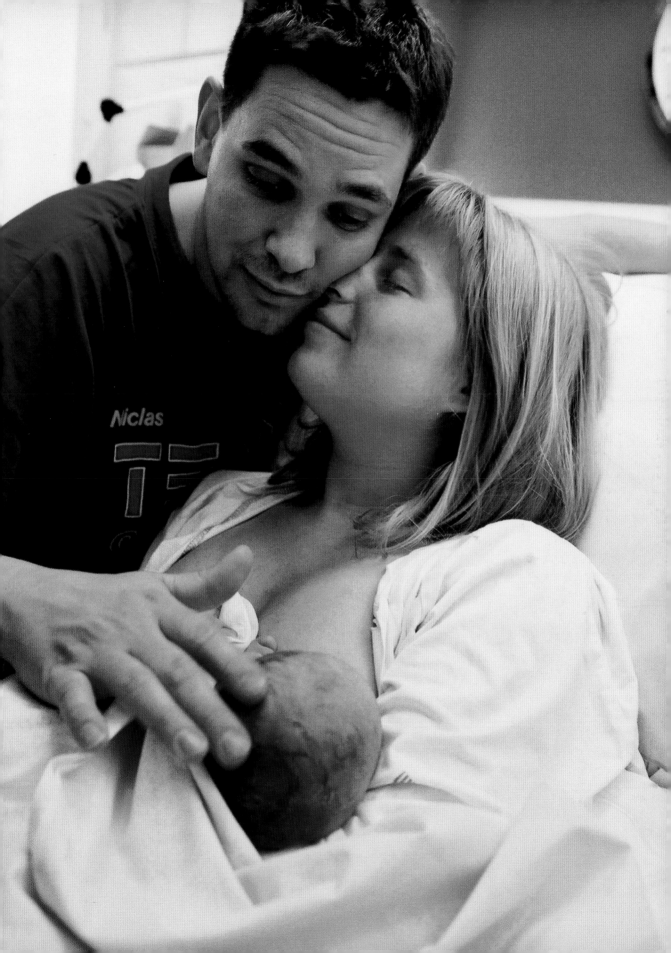

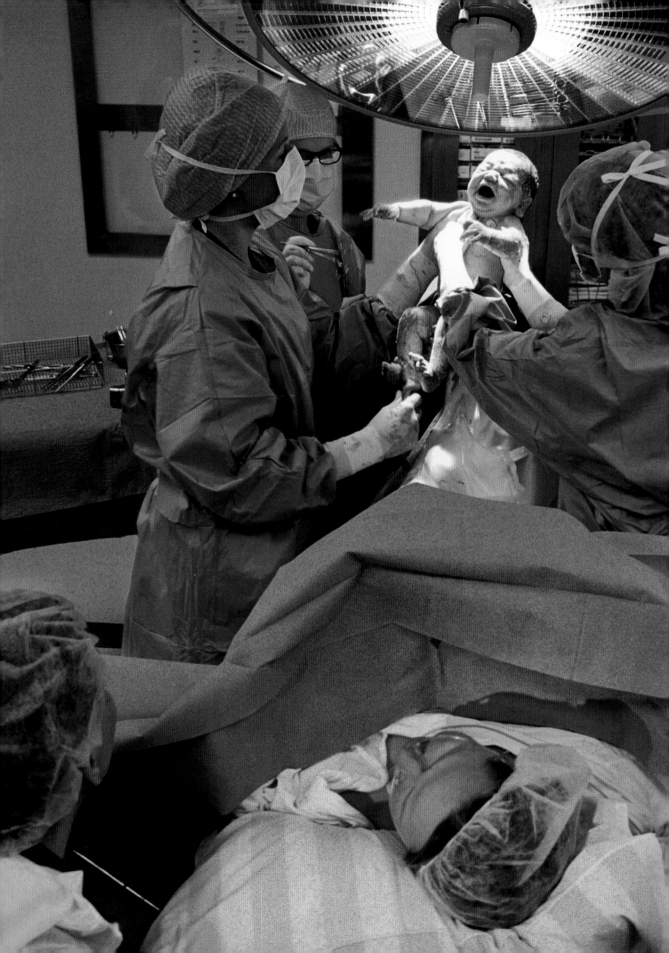

## La césarienne en question

Ces dernières années, le nombre d'enfants nés par césarienne a considérablement augmenté. Dans certains pays, il représente aujourd'hui de 15 à 20 % des naissances. Aux États-Unis, ce pourcentage est deux fois plus important, et il est encore plus élevé en Amérique du Sud. Dans beaucoup de pays, des voix s'élèvent pour demander que les femmes puissent choisir la manière dont elles donneront le jour à leur enfant. En France, la décision est prise par le médecin et sa patiente lors des consultations.

Une césarienne peut soit être planifiée, soit être une intervention d'urgence en cas de signes de détresse du fœtus. De tels problèmes sont souvent dus à une réduction soudaine de l'apport en sang, qui se traduit par une mauvaise oxygénation des tissus. Une césarienne en urgence peut également être envisagée quand les contractions sont très faibles, quand une partie du placenta se détache trop tôt de la paroi utérine, ou quand le cordon ombilical est pris entre la paroi utérine et la tête de l'enfant. Une césarienne peut être planifiée lorsque le bébé est trop gros pour une naissance par voie vaginale, lorsqu'il se présente par le siège ou (très rarement) transversalement. Une maladie sérieuse de la mère peut encore motiver cette intervention.

Une anesthésie générale est parfois nécessaire lors des césariennes pratiquées en urgence, mais, dans la majorité des cas, une anesthésie péridurale, qui élimine les sensations dans la partie inférieure du corps, est suffisante. Pour la mère, cela présente l'avantage de rester pleinement consciente et de pouvoir participer à la naissance, éventuellement en présence du père.

Pour pratiquer une césarienne, le chirurgien réalise généralement une incision transversale en bas de l'abdomen. Il ouvre la paroi utérine et évacue le liquide amniotique. L'enfant est doucement extrait, et le cordon ombilical est coupé. Le placenta est alors retiré, puis l'utérus et la paroi abdominale sont recousus. L'intervention ne prend en général pas plus d'une demi-heure (en cas d'urgence, une césarienne peut être réalisée en cinq minutes). Une mère délivrée par césarienne passe quelques jours de plus à la maternité, car elle a besoin de plus de soins que les autres. Elle peut ressentir les contrecoups de l'opération pendant plusieurs mois après son retour à la maison, est plus fatiguée et a plus de mal à porter des charges que les autres femmes. L'aide du père est alors bienvenue.

**Une présence souhaitée**

Pour beaucoup de femmes qui doivent subir une césarienne, être conscientes au moment de la naissance est très important. Aujourd'hui, la plupart d'entre elles restent éveillées durant l'intervention et peuvent prendre leur enfant contre elles quelques minutes après la naissance. Le père est souvent présent pour partager ces instants de bonheur.

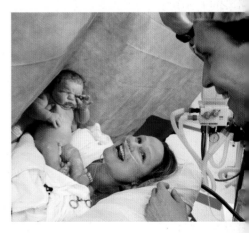

**Le lait maternel**

Mettre l'enfant au sein aussitôt après la naissance contribue grandement à démarrer la lactation. Le premier lait est appelé colostrum. Après quelques jours, le « vrai lait » commence à couler, toujours plus abondant !

## *Le premier repas*

Juste après la naissance, le bébé posé sur le ventre de sa mère trouve souvent seul son chemin vers le sein nourricier. En effet, la plupart des nouveau-nés se sont « entraînés » à téter leurs doigts ou leurs orteils durant les derniers mois de gestation.

Il faut que le bébé commence à téter pour que la production de lait débute. Les terminaisons nerveuses présentes dans les mamelons de la femme transmettent un message dans des centres situés à la base du cerveau, qui envoient des signaux à l'hypophyse ; celle-ci commence alors à sécréter de la prolactine, hormone indispensable à la production de lait. Parallèlement, l'ocytocine, une autre hormone, contracte les glandes mammaires de façon à faciliter l'écoulement du lait. L'ocytocine aide également l'utérus à se contracter. La mère peut ressentir ces contractions lorsqu'elle allaite, notamment dans les jours qui suivent la naissance.

Durant ces premiers jours, les seins sont tendus et gonflés. Le premier lait est appelé colostrum. Il est en faible quantité, mais il est précieux pour le bébé, notamment en ce qui concerne ses défenses immunitaires. Après deux ou trois jours, le véritable lait maternel le remplace ; plus vite le nourrisson prend le sein, plus la lactation se met rapidement en place.

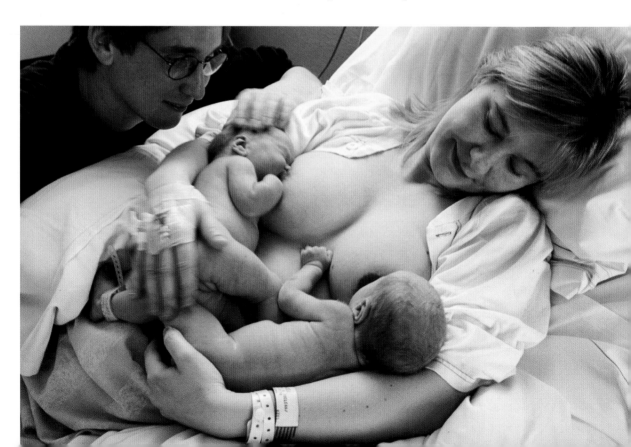

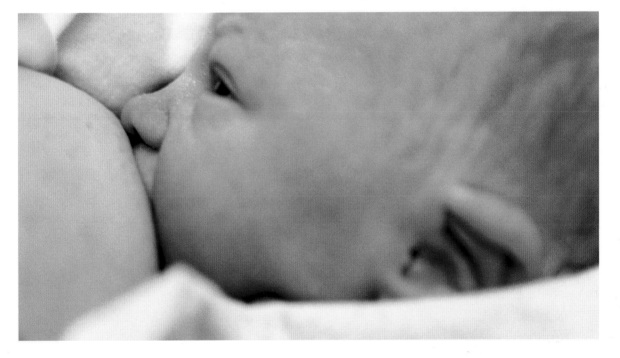

## L'allaitement au sein

On sait aujourd'hui que l'allaitement au sein est très
important, au moins durant les premiers mois de la vie.
Outre le fait que le lait maternel est riche en nutriments
et en minéraux, cela crée un contact intime entre la mère
et son enfant. On a aussi démontré que le lait contient
des substances qui ont un effet relaxant sur le bébé.
L'ocytocine, une hormone aux effets calmants, est
libérée dans le corps de la mère qui allaite, améliorant
aussi son propre bien-être.

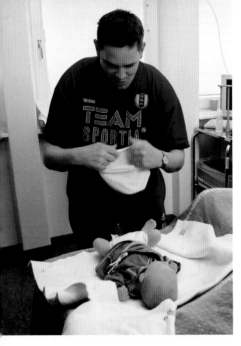

**Le premier change**

Changer le nouveau-né fera bientôt partie de la routine, mais le premier change est toute une cérémonie.

## *Les premiers pas…*

Avant le retour à la maison, un pédiatre teste la tonicité musculaire du bébé et ses réflexes — par exemple, le réflexe de la marche, qui révèle beaucoup de choses sur le fonctionnement du cerveau et du système nerveux. Les fontanelles, la colonne vertébrale et les articulations des hanches sont examinées avec un soin particulier. Beaucoup de nouveau-nés sont un peu jaunes car certains de leurs globules, qui ne sont plus nécessaires après la naissance, meurent. Si cette teinte jaune est excessive (jaunisse du nourrisson), ils sont traités sous des lampes à ultraviolets pendant quelques jours, avant qu'il ne leur soit prélevé un échantillon de sang. Quand le médecin a vérifié que tout est en ordre, la nouvelle famille rentre à la maison.

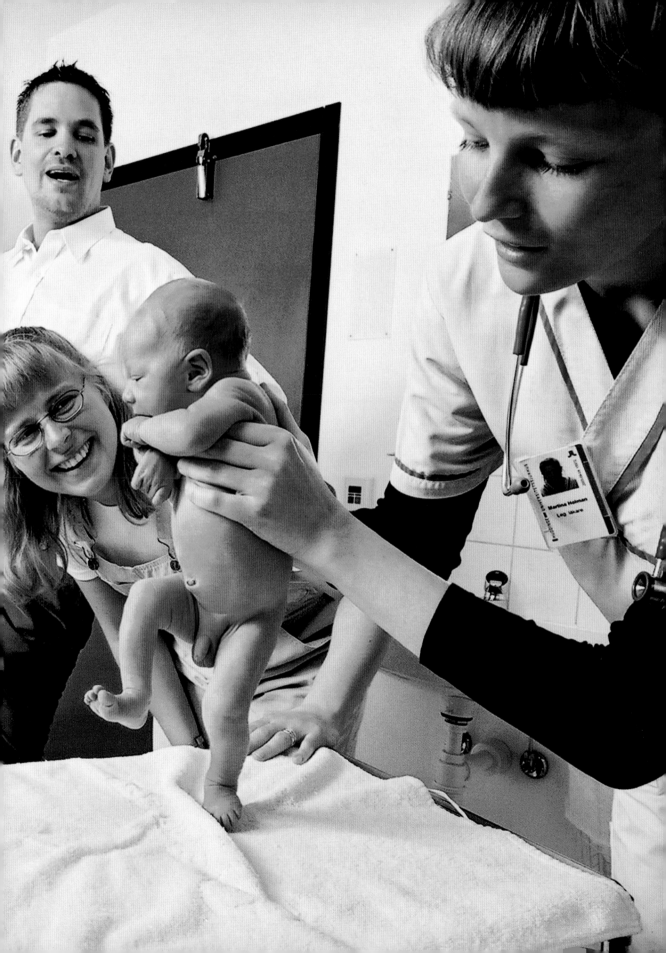

# Aider la nature

**Bien que la plupart des couples soient capables d'avoir un enfant ou plus, l'infertilité est un problème qui va croissant. On estime qu'un couple sur sept ou huit a plus ou moins de mal à procréer.**

## Pourquoi pas nous ?

Il existe beaucoup de causes à l'infertilité. Certaines sont bien connues et clairement définies, d'autres restent plus ambiguës. Parmi les secondes, citons les facteurs environnementaux et la radioactivité, ainsi que le stress de la vie quotidienne. Il est difficile de mettre en évidence des facteurs aussi peu tangibles, aussi les médecins recherchent-ils d'abord des causes bien identifiées. Cela passe par des examens médicaux longs et parfois coûteux, qui n'apportent pas toujours une réponse claire.

Selon les estimations, 40 % des cas de stérilité incombent à l'homme seul, 40 % à la femme seule, et 20 % au couple. Dans cette dernière catégorie, on trouve les stérilités « inexpliquées » qui ne sont dues ni à un partenaire ni à l'autre mais où la femme reste inféconde.

Les principales causes de stérilité féminine sont d'ordre mécanique ou hormonal. Les causes mécaniques les plus fréquentes sont dues à des infections utérines ou ovariennes (maladies sexuellement transmissibles), ou à des interventions chirurgicales (y compris les appendicectomies avec complications durant l'enfance). Parfois, bien que cela reste relativement rare, des anomalies du col de l'utérus, de l'utérus lui-même et des trompes de Fallope constituent des problèmes mécaniques. Parmi les causes d'origine hormonale, il arrive que l'hypophyse ne sécrète pas une quantité suffisante de gonadotrophine, hormone qui stimule la croissance des follicules ovariens et déclenche l'ovulation. Il arrive que le niveau des hormones de stress dans l'organisme de la femme soit trop élevé. L'équilibre hormonal peut également être perturbé si la femme est obèse ou très maigre (par exemple, en cas d'anorexie).

Les causes d'infertilité masculine comprennent l'obésité, une activité sportive intense, l'alcool ou l'usage de drogues. Les malformations et l'impuissance jouent sans doute un rôle, mais les raisons de l'infertilité masculine restent souvent obscures.

## Chercher des réponses

Un couple jeune et en bonne santé, dont la femme est bien réglée, ne subira pas d'examens médicaux poussés avant une période d'essais infructueux. Lorsque les examens commencent, les deux partenaires subissent des tests à la recherche d'infections possibles, notamment les infections d'origine bactérienne, comme la chlamydiose ou la gonorrhée, mais aussi d'origine virale, comme l'hépatite et le sida. Les infections bactériennes sont facilement traitées par les antibiotiques, ce qui n'est pas le cas des atteintes virales, qui peuvent être chroniques, résister aux traitements et impliquer un risque pour le personnel soignant. Parfois, des analyses hormonales apportent des renseignements utiles. Aujourd'hui, pour les femmes consultant pour raisons d'infertilité, les examens aux rayons X ne sont pas pratiqués, pas plus que les examens avec substance de contraste ou les endoscopies. Ces dernières années, les échographies, avec ou sans substance de contraste, sont devenues le principal outil d'investigation.

### La décision est prise

Nous essayons de concevoir un enfant depuis deux ans, sans résultat. Est-ce que nous nous y prenons mal ? L'un de nous deux a-t-il quelque chose qui ne va pas ? Il peut être difficile d'apporter des réponses immédiates, mais un couple infertile ne doit pas perdre un temps parfois précieux avant de s'adresser à un spécialiste. Le médecin commencera par dresser un état des lieux, ce qui aura souvent pour effet de détendre le couple et, éventuellement, de lui permettre de procréer. De plus, les infertilités se traitent efficacement, aujourd'hui, dans la grande majorité des cas.

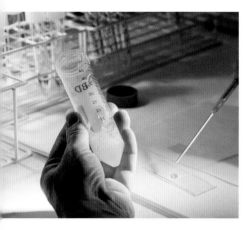

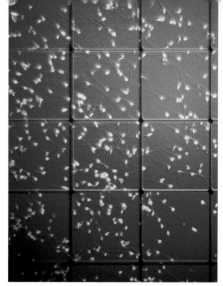

**Une sélection rigoureuse**

Des milliers de spermatozoïdes
en folie nagent dans une solution
(au milieu). À partir de l'échantillon
de sperme fourni par l'homme,
le laboratoire détermine assez
rapidement la quantité, la qualité
et la mobilité des spermatozoïdes
grâce au microscope. Il arrive
que les spermatozoïdes soient
en nombre insuffisant, qu'ils
souffrent d'aberrations ou d'une
mobilité insuffisante (comme
sur la photo de droite).

Les spermatozoïdes peuvent
également être prélevés directement
dans l'un des testicules de l'homme
(ci-dessous), dans le cas où
l'éjaculation n'en contiendrait pas.

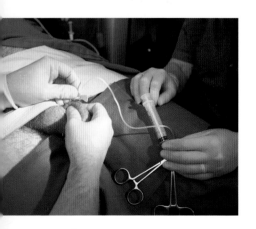

## Des spermatozoïdes paresseux ?

Un examen des spermatozoïdes permet généralement de savoir si le
problème vient ou non de l'homme. Il comporte un comptage des
cellules et une étude de leur mobilité comme de leur apparence. On ne
suspecte un vrai problème chez l'homme que dans le cas où le nombre
de spermatozoïdes par éjaculation est inférieur à un nombre compris
entre 5 à 10 millions, et si certains d'entre eux sont peu mobiles.

Parfois, un mode de vie plus sain peut améliorer la production
de sperme, mais, même lorsqu'un homme arrête de boire et de
fumer, perd du poids et entreprend de faire du sport, la qualité et
la quantité de ses spermatozoïdes change rarement de manière
radicale. L'abus de drogues ou d'anabolisants peut expliquer le
problème dans certains cas. Pourtant, les causes ne peuvent
généralement pas être identifiées. Elles peuvent être très loin-
taines, voire remonter à la période fœtale. Dans les cas les plus
problématiques, il est aujourd'hui possible de prélever les spermatozoïdes dans les testicules et les épididymes sous anesthésie locale
et de les injecter directement dans l'ovule. Même les hommes dont
les spermatozoïdes sont rares et plutôt dolents peuvent ainsi
devenir pères (voir p. 216).

Certaines causes d'infertilité masculine ont récemment été
découvertes, notamment des défauts dans le chromosome Y.
Actuellement, la question de savoir ce qui se passerait si des
spermatozoïdes avec de tels chromosomes étaient injectés dans
un ovule fait débat. Le défaut se transmettra-t-il à la génération
suivante, au moins si l'enfant est un garçon ? Il n'existe pas de
réponse claire à cette question.

## Du côté de la femme

Si les tests de fertilité se limitent généralement chez l'homme à un ou deux prélèvement de sperme, il convient d'en savoir plus sur la femme, qui doit non seulement être capable de procréer, mais aussi de mener une grossesse à son terme. L'échographie permet au médecin d'avoir une bonne idée de l'état des organes dans la région pelvienne de la femme. Cet examen permet aussi de déceler un éventuel kyste ovarien et de mettre en évidence une trompe de Fallope enflée ou obstruée par une infection ; il vérifie aussi l'état de l'utérus et s'assure que sa paroi ne comporte aucun myome (fibrome). L'utilisation d'une substance de contraste injectée par le vagin et le col de l'utérus lui permet également d'examiner l'intérieur de l'utérus, sa membrane et les trompes de Fallope. Le médecin peut aussi déterminer s'il existe une voie d'accès allant des ovaires aux trompes de Fallope, condition indispensable à une fécondation naturelle.

Bien qu'il soit possible de traiter une femme infertile par la chirurgie ou par les injections d'hormones afin de lui permettre d'entreprendre une grossesse, une majorité de femmes stériles, quelle que soit l'origine de leur problème, ont actuellement recours à la fécondation *in vitro*.

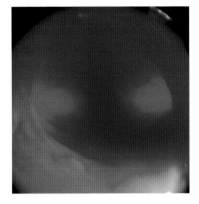

### L'examen de l'utérus

À l'aide d'un endoscope inséré par le vagin et l'utérus, il est possible d'obtenir une image claire de la cavité de l'utérus qui abritera le fœtus pendant les neuf mois de son développement. Par cœlioscopie abdominale, les pavillons des trompes de Fallope, par lesquels les ovules fertilisés accèdent normalement à l'utérus, sont également visibles. Parfois, des fibromes réduisent l'espace dans la cavité utérine, nécessitant dans certains cas un traitement ou une intervention chirurgicale avant la fertilisation *in vitro*.

### Ovocytes dans l'ovaire

Pour optimiser la fertilisation, la femme reçoit des injections d'hormones qui favorisent le développement des follicules dans ses ovaires. Chacun d'entre eux contient un ovule prêt pour la fertilisation. L'échographie permet de déterminer le nombre de follicules, et de guider leur prélèvement.

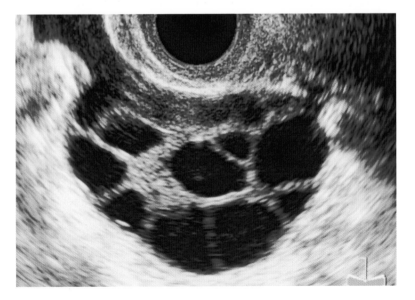

## Stimuler le développement de l'ovocyte

Au début du traitement devant aboutir à une fécondation *in vitro*, la femme doit prendre des médicaments destinés à interrompre l'activité de son hypophyse de façon à stopper sa production hormonale. Elle suit alors un traitement hormonal quotidien pendant deux semaines afin que de nombreux ovocytes se développent dans ses ovaires. La dernière injection est à base d'hormone gonadotrophine chorionique humaine (hCG), qui permet à l'ovocyte de se préparer pour la fertilisation.

Juste avant le moment où l'ovulation aurait dû normalement survenir, une fine aiguille est introduite par le vagin jusqu'aux ovaires afin de prélever les ovocytes. On les garde ensuite dans un incubateur, à une température de 37,5 °C, pendant deux heures. Le nombre idéal d'ovules est de huit à dix, mais il est difficile de contrôler précisément l'action des hormones. Il arrive qu'il y ait trop peu d'ovules à maturité, mais aussi que l'on en obtienne beaucoup trop. Cette stimulation peut provoquer des douleurs abdominales et un gonflement, et quelques jours d'hospitalisation peuvent se révéler nécessaires.

**La dose quotidienne**

La femme qui a recours à la fécondation *in vitro* reçoit chaque jour une injection d'hormones hypophysaires pendant deux semaines avant la fertilisation. Lorsque c'est possible, le couple pratique seul ces injections. Les doses d'hormones sont calculées en fonction du nombre d'ovocytes souhaité ; lorsque le plus gros d'entre eux atteint environ 20 millimètres de largeur, une injection d'hormone hCG est pratiquée.

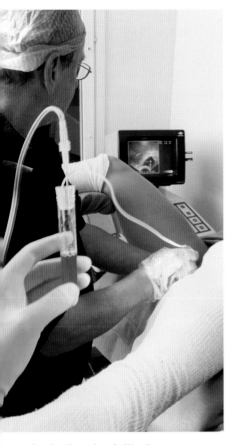

## Aspiration des follicules

Trente-six heures après la dernière injection d'hormones, les follicules sont aspirés à l'aide d'une aiguille introduite dans le vagin. L'échographie permet de guider l'aiguille et de recueillir les ovules qu'ils contiennent.

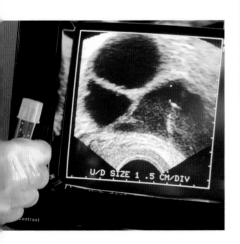

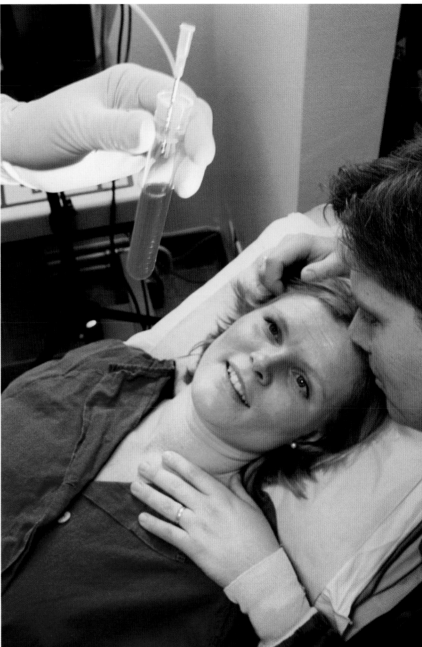

## Grossesses possibles

L'homme est souvent présent lors de l'extraction des ovules, et le couple est informé du nombre de ceux qui sont fécondables après élimination du liquide. Chacun d'entre eux représente une grossesse possible, et il n'est pas rare d'obtenir dix ovules.

### Le prélèvement de l'ovule

Le liquide contenu dans chaque follicule contient non seulement l'ovule, mais des milliers de cellules nourricières et, parfois, du sang. Des yeux expérimentés et un bon microscope permettent d'identifier très rapidement l'ovule. Chaque ovule est ôté et transféré dans une goutte de solution nutritive, qui est ensuite placée dans un incubateur à la température de 37,5 °C.

## Quand le spermatozoïde rencontre l'ovule…

Des spermatozoïdes fournis par le père ou par un donneur sont spécialement préparés avant d'être introduits dans l'éprouvette contenant les ovules. Contrairement à ce qui se passe naturellement, ou seulement 200 spermatozoïdes environ atteignent l'ovule, il est ici possible d'être beaucoup plus généreux. Plusieurs milliers d'entre eux sont souvent mis en présence des ovules pour augmenter les chances de fertilisation. Après environ 17 heures, la culture est examinée, et il est facile de voir au microscope quels sont les ovules fertilisés.

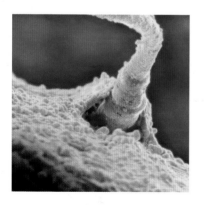

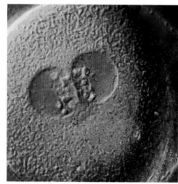

### La fertilisation

À l'aide d'une pipette, une grande quantité de spermatozoïdes sont ajoutés aux ovules, chacun dans sa petite goutte de solution. Le miracle se produit alors dans le mystère de l'incubateur : l'ovule et le spermatozoïde fusionnent, créant une nouvelle vie.

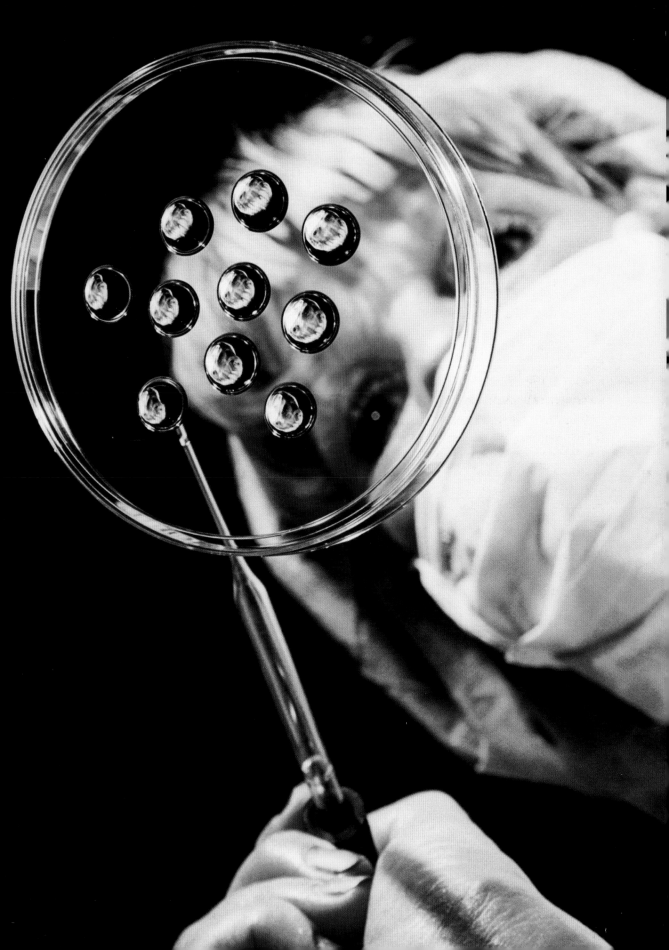

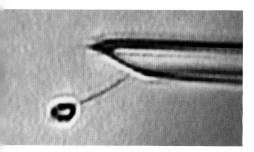

## La méthode

À l'aide d'une fine pipette en verre, un spermatozoïde est aspiré dans la solution nutritive (en haut). Le couple peut suivre sur un écran le processus dont découlera peut-être la naissance d'un enfant. L'ovule sélectionné est maintenu en place dans la culture avec une pipette plus épaisse et des « micro-manipulateurs » reliés à un microscope.

## *Une alternative à l'éprouvette*

Une nouvelle technique est utilisée depuis quelques années, surtout lorsqu'il existe des problèmes avec les spermatozoïdes de l'homme. Cette méthode, ou injection intracycloplasmatique, consiste à injecter un unique spermatozoïde au centre exact du cytoplasme de l'ovule à l'aide d'une fine aiguille. Les spermatozoïdes n'ayant pas besoin de nager, même ceux qui sont incapables de se propulser peuvent de cette manière fertiliser un ovule. On a aussi découvert que même les spermatozoïdes « immatures », directement prélevés dans les testicules ou les épididymes, étaient capables de fertiliser un ovule grâce à cette méthode.

Bien sûr, cette nouvelle technique peut impliquer des risques pour l'enfant à naître. Certains chercheurs ont proposé que tous les embryons créés en laboratoire subissent des tests génétiques avant d'être réintroduits dans le corps de la mère. Si ce type de tests devient courant, la fécondation en éprouvette sera probablement beaucoup plus sûre que la fertilisation naturelle. C'est une perspective à la fois réjouissante et un peu inquiétante.

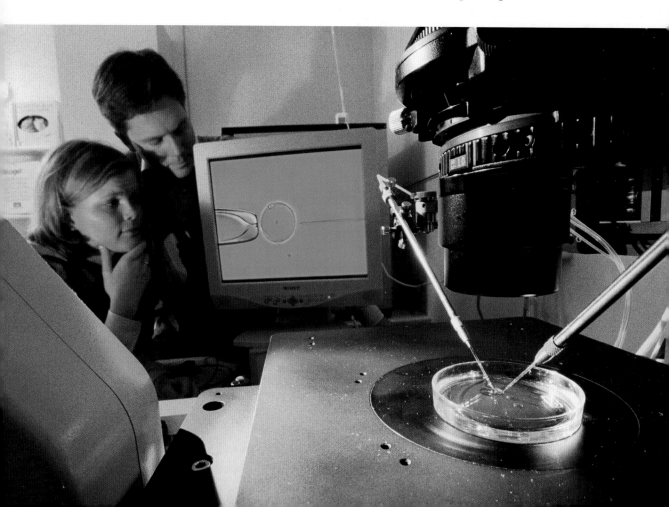

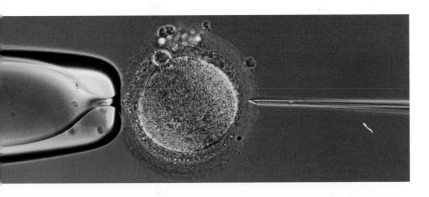

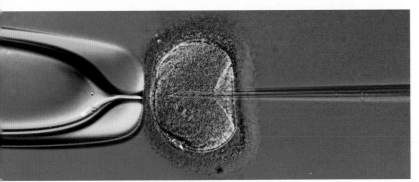

## Un travail de haute précision

La pipette perce doucement la capsule de l'ovule et le spermatozoïde est injecté dans le cytoplasme, où l'attend le noyau féminin. Maintenir l'ovule en place avec la pipette de gauche tout en manœuvrant la seconde pipette avec précision est un travail délicat qui demande des années de pratique. Immédiatement après l'injection, l'ovule retrouve sa forme ronde. Sur la photo ci-dessous, on distingue le noyau du spermatozoïde au milieu de l'ovocyte.

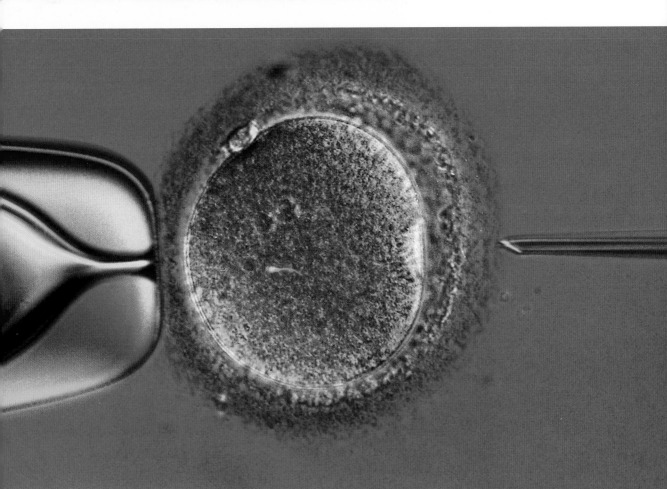

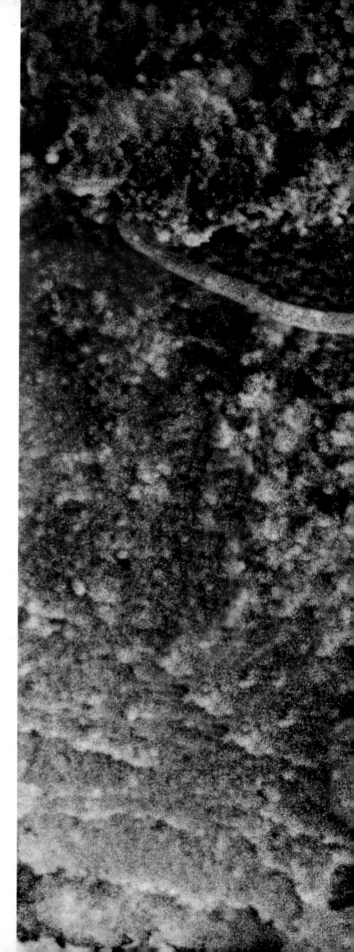

## Dernière ligne droite

Le spermatozoïde choisi vient d'être injecté
à travers la capsule et la membrane de la cellule
(l'orifice formé par la pipette est encore
clairement visible). À l'intérieur du cytoplasme,
le spermatozoïde va maintenant mener à bien
la fertilisation sans assistance. Il perd son flagelle,
et la partie de son noyau qui contient
l'information génétique se dilate légèrement,
anticipant sa rencontre avec le noyau de l'ovule.

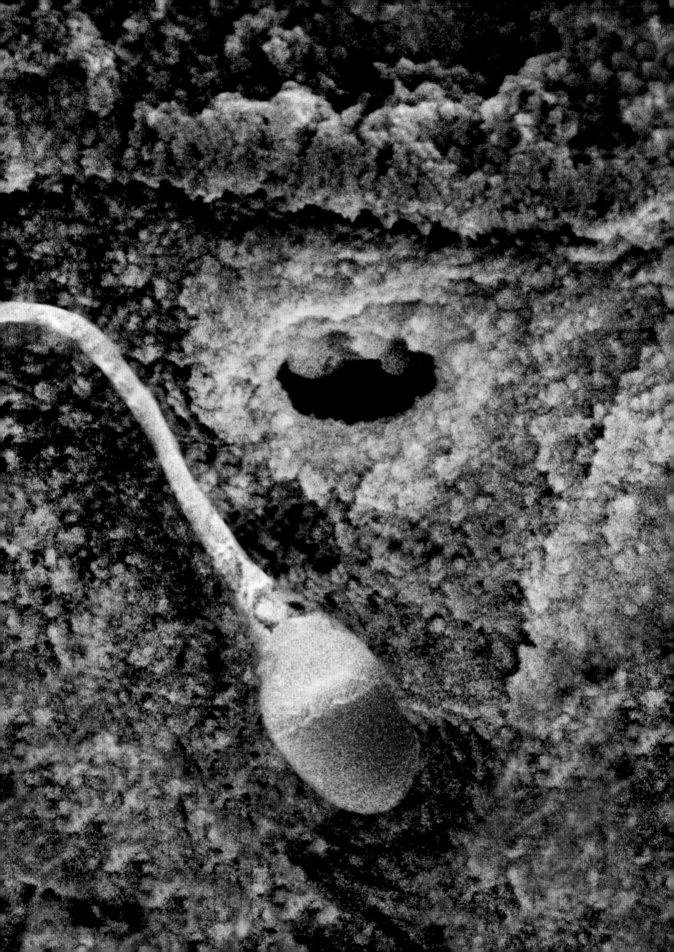

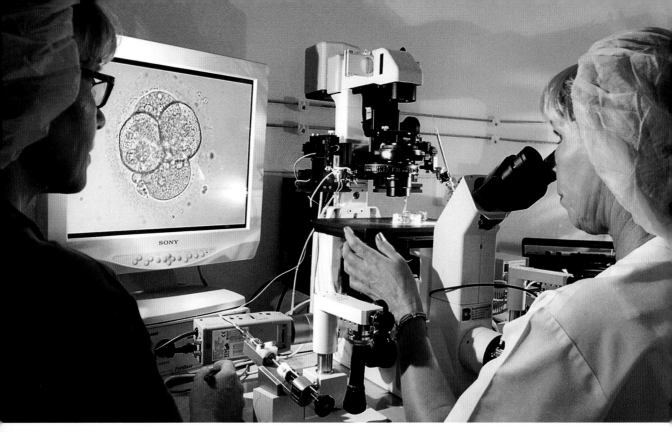

### Faire le bon choix

Deux ou trois jours après la fertilisation, les ovules ont commencé à se diviser. Un ou deux d'entre eux sont sélectionnés avec soin, et les autres sont congelés pour un éventuel usage ultérieur.

## *Retour au corps maternel*

Après la fertilisation (quelle qu'ait été la méthode utilisée), deux noyaux distincts apparaissent dans le cytoplasme de l'œuf : l'un est celui du spermatozoïde, qui a grossi, et l'autre contient le matériel génétique de l'ovule. Quelques heures plus tard, les deux noyaux se fondent pour créer un nouveau code génétique unique. Ensuite, l'œuf fécondé commence à se diviser toutes les 12 à 15 heures.

Après deux ou trois jours, l'embryon contient de quatre à huit cellules et il peut retourner dans le corps de la mère. Pourtant, les ovules fertilisés sont souvent laissés deux ou trois jours de plus en culture, jusqu'à ce qu'ils aient atteint le stade de blastocystes, avant d'être réintroduits dans l'utérus à l'aide d'un fin cathéter en plastique. Il ne reste plus qu'à croiser les doigts et à espérer que l'un des embryons au moins soit suffisamment vigoureux pour s'implanter dans la paroi de l'utérus. Une semaine ou deux plus tard, un test hormonal très sensible permettra de dire si la femme est enceinte ou non. Normalement, les ovaires ne libèrent qu'un ovule par mois, et rarement deux. Avec la fécondation *in vitro* et la stimulation hormonale qu'elle implique, environ dix ovules sont obtenus à chaque traitement.

Six ou sept d'entre eux sont fertilisés et deviennent des embryons. S'ils étaient tous réintroduits dans l'utérus en même temps, on assisterait à des grossesses multiples, risquées pour les mères comme pour les enfants. C'est la raison pour laquelle seuls un ou deux embryons sont réintroduits après chaque traitement, les autres étant congelés pour un éventuel usage ultérieur.

Les techniques utilisées pour la congélation des ovules, des spermatozoïdes et des embryons sont en développement constant. Dans de nombreux pays, les législateurs commencent à s'en inquiéter, notamment en ce qui concerne les embryons qui sont à même d'être stockés durant de longues périodes, situation qui peut donner lieu à des problèmes éthiques et légaux. Dans ce domaine, les lois varient grandement d'un pays à l'autre.

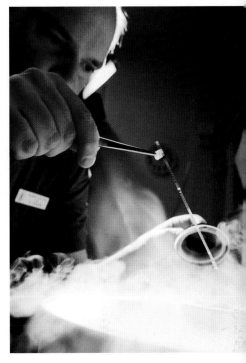

### La vie congelée

Au premier abord, il peut sembler étrange de congeler des ovules, des spermatozoïdes et des embryons, mais c'est une méthode efficace et sans douleur de donner à une femme plus d'une chance de concevoir après une stimulation hormonale.

### Perspectives futures

Les progrès technologiques permettent aujourd'hui de laisser l'ovule fertilisé en culture pendant quatre ou cinq jours avant de le réintroduire dans l'utérus. Cela permet de déterminer plus facilement quel est celui qui a le plus de chance de se développer normalement. Dans le futur, l'analyse génétique pourrait bien être le meilleur moyen de prévenir certains désordres génétiques, qui sont à l'origine de grandes souffrances.

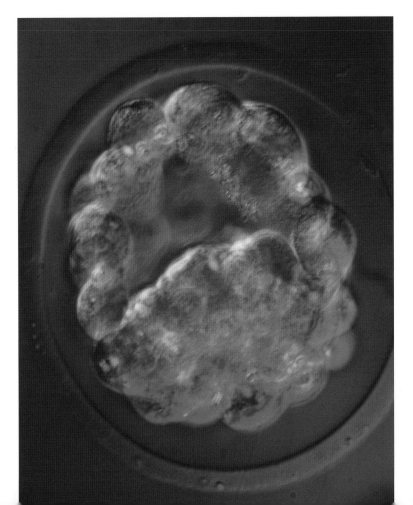

221

**Retour à la case départ**

Quand le résultat des efforts conjugués de l'équipe médicale est positif, tout le monde jubile. Lorsque la fécondation *in vitro* permet à une femme de devenir enceinte, les futurs parents et le personnel médical deviennent souvent très proches.

*Chaque naissance est un miracle, et créer un être humain en éprouvette est vraiment miraculeux.*

## Plus d'un million de bébés-éprouvettes

L'année 1978, qui vit la naissance du premier bébé-éprouvette, fut historique en ce qui concerne le traitement de l'infertilité. Né en Angleterre, l'enfant vint au monde grâce aux efforts des chercheurs Robert Edwards et Patrick Steptoe. Progressivement, la méthode vint remplacer la chirurgie endoscopique, technique alors utilisée pour réparer les trompes de Fallope et pour traiter pratiquement tous les types d'infertilité féminine. À partir de 1992, la micro-injection d'un unique spermatozoïde dans l'ovule remplaça tous les précédents traitements de l'infertilité masculine, ou presque. Aujourd'hui, plus d'un million de bébés sont nés après une fertilisation hors du corps maternel, et des études ont démontré que ces enfants se développent normalement, la méthode ne comportant pas plus de risques que ceux qui sont associés à une fertilisation naturelle.

Désormais, presque tous les types d'infertilité peuvent être traités avec succès. Pourtant, les meilleures méthodes sont aussi extrêmement chères, et l'infertilité est devenue un problème socio-économique, même si elle ne résiste plus aux techniques médicales. Il faut aussi garder à l'esprit que la fécondation *in vitro* est très stressante, à la fois physiquement et psychologiquement, pour la mère. Dans beaucoup de pays, le débat est ouvert pour savoir si une société riche et moderne doit assurer à toute femme le droit d'être aidée à procréer. On se demande aussi si les traitements contre la stérilité ne menacent pas à long terme la santé des femmes ou celle de leurs enfants. La stérilité doit-elle être considérée comme une maladie ou comme la conséquence d'une maladie ? Des considérations éthiques ou religieuses doivent-elles être prises en compte avant d'entreprendre de tels traitements ?

Il est important de savoir qu'une stérilité représente un sérieux problème pour les personnes concernées. Il est aussi difficile d'être infertile dans les pays luttant contre l'explosion démographique que dans ceux où la natalité baisse. N'oublions pas que la fécondation *in vitro* n'est qu'une des solutions à apporter au problème complexe de la stérilité. L'adoption en est une autre, et certaines personnes combinent les deux méthodes. Accueillir un petit orphelin constitue une autre manière de construire une vie de famille avec un enfant et de découvrir l'expérience merveilleuse de jouer un rôle dans la vie d'un autre être humain.

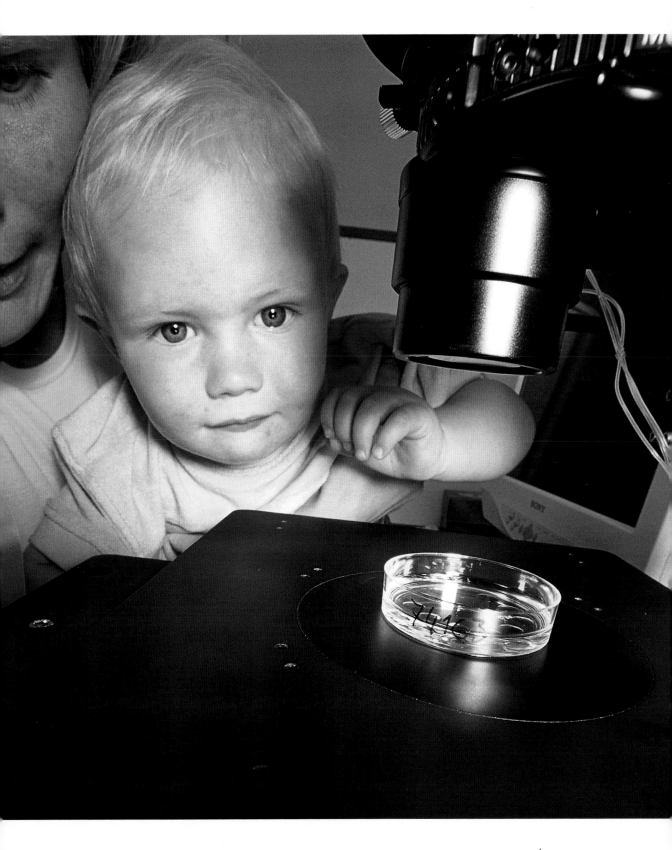

## Douze ans entre deux photos

Tout le monde n'a pas la chance d'avoir un portrait de soi réalisé quelques jours après sa conception. C'est le cas de Thomas, qui n'est que l'un des nombreux enfants dans le monde à être né grâce à la fécondation *in vitro*. Il est presque impossible d'imaginer que le petit amas de cellules visible sur l'écran est devenu ce grand garçon vigoureux, proche de l'adolescence. Les enfants concernés ont eux-mêmes du mal à comprendre le processus. D'un autre côté, les enfants n'ont pas de préjugés en ce qui concerne la reproduction, et ils acceptent facilement l'information qu'on leur donne.

## « Tu étais dans une petite soucoupe comme ça. »

Plus d'un million d'enfants ont vu le jour grâce à Robert Edwards, le chercheur qui a développé avec succès la méthode de fécondation *in vitro*.

## Différentes manières de fonder une famille

Il est très difficile pour un couple d'admettre qu'il ne pourra pas avoir d'enfants biologiques. Beaucoup de couples se tournent vers l'adoption, alors que d'autres placent leurs espoirs de fonder une famille dans les techniques de fécondation *in vitro*. Les parents de Thomas ont essayé en vain d'avoir des enfants durant des années ; aujourd'hui, ils en ont trois. Ils ont adopté un fils, et les deux autres enfants sont nés grâce à la fécondation *in vitro*. Ils ont accueilli chacun d'entre eux avec la même joie.

# Le début de la grande aventure

**Deux êtres en ont créé un troisième. Le nouveau-né découvre le monde, tandis que la vie de ses parents part sur de nouvelles bases ; c'est une période de changements et d'expériences inédites.**

## Le retour au foyer

Arriver chez soi pour la première fois avec un nouveau bébé est une expérience fantastique. Le monde entier semble différent, presque irréel. Une nouvelle personne vous demande amour et attention. Les premiers jours, tout tourne autour du bébé, et le temps semble s'arrêter. S'occuper d'un nouveau-né représente un grand bonheur, mais aussi beaucoup de stress, surtout les premiers temps.

Les tétées et les soins au bébé semblent occuper toutes les heures de la journée, et beaucoup de nouveaux parents se sentent inquiets en permanence. L'allaitement au sein peut être particulièrement difficile. Pourquoi le bébé pleure-t-il ? Ai-je fait quelque chose de mal ? Comment dois-je m'y prendre ?

En outre, beaucoup de mères sont épuisées après l'accouchement. L'aide et le soutien du père sont alors très importants. Les nuits sont écourtées par les tétées tardives et matinales jusqu'à ce que l'enfant prenne un autre rythme, c'est-à-dire après deux mois au moins. À partir de ce moment-là, il dormira moins dans la journée et révélera de plus en plus sa personnalité. Il fera connaître ses besoins avec une volonté remarquable chez un être aussi petit. Toute la famille se pliera à de nouveaux rythmes et à une nouvelle routine.

De six à huit semaines après l'accouchement, une dernière visite à la maternité ou chez l'obstétricien permettra de vérifier que la mère s'est complètement remise physiquement de sa grossesse. Les parents auront alors l'occasion de discuter du déroulement de l'accouchement et de prendre conseil quant à la contraception à utiliser, pendant la période d'allaitement et par la suite.

En France, les centres de protection médicale et infantile (PMI) sont à la disposition des parents pour tout conseil concernant l'allaitement, les vaccinations et le suivi médical des enfants jusqu'à ce que le système scolaire prenne le relais.

**Le lait maternel**

Durant les premiers mois de la vie d'un bébé, le meilleur aliment est le lait maternel. Il arrive que les premières tentatives soient laborieuses et que le bébé et sa mère aient besoin d'un peu d'aide. Si, pour une raison ou une autre, une femme ne peut pas, ou ne veut pas allaiter son enfant, il existe bien sûr des laits maternisés très fiables.

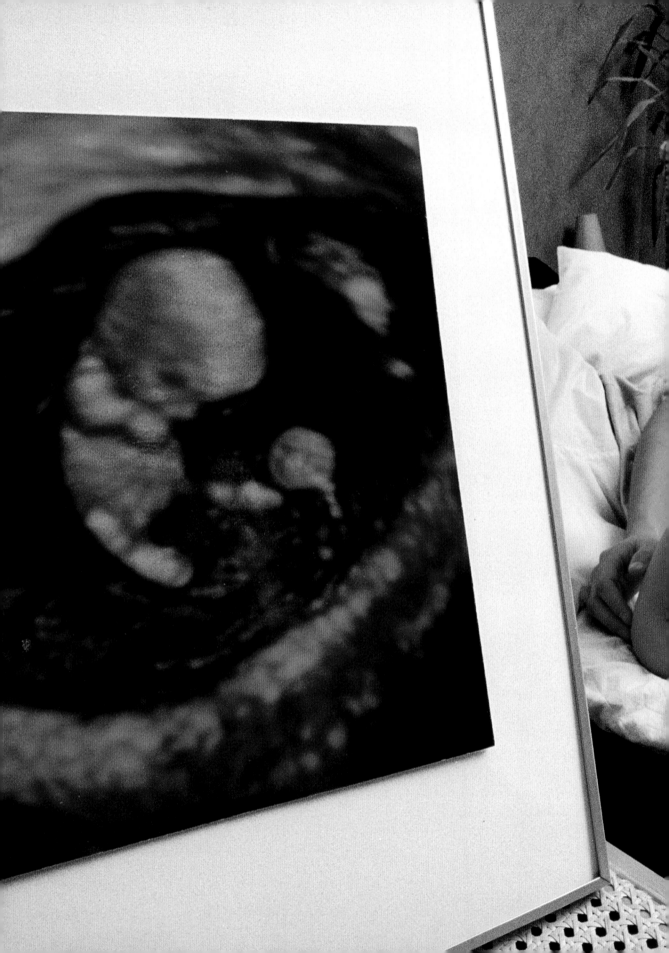

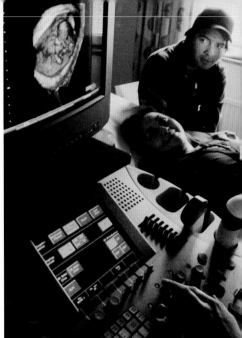

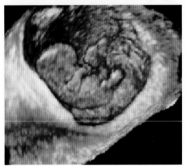

## Comment peut-elle être aussi mignonne ?

Grâce à l'échographie, ce père a
contemplé sa fille dans le ventre
de la maman depuis la 8ᵉ semaine
de grossesse. Maintenant, elle est
sur ses genoux, les yeux brillants.
C'est le même bébé, mais tout
est différent.

*Ce n'est plus une
image animée sur un
écran, mais un vrai
bébé, plein d'énergie.*

### Jeux et gros câlins

Un bisou sur le ventre et quelques chatouilles en changeant
la couche : la petite enfance est le temps de la tendresse,
de la confiance et des contacts peau à peau. Une période où se
nouent des liens essentiels basés sur la sécurité et sur la confiance.

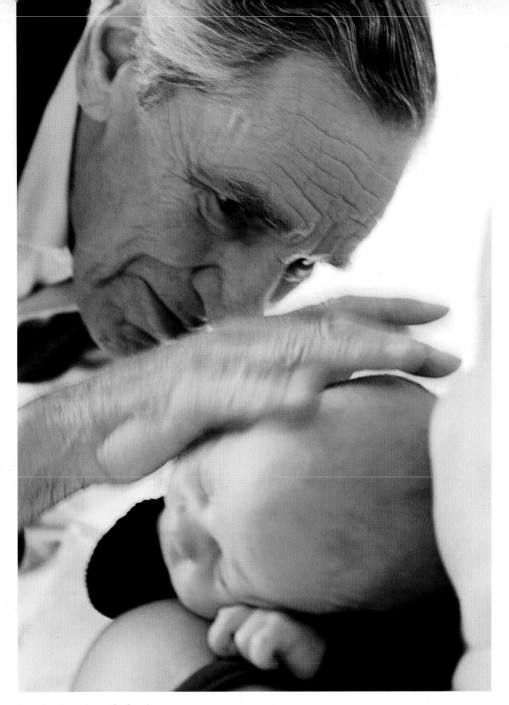

### La réunion des générations

Le petit enfant qui vient de venir au monde est
aussi le nouveau membre d'une famille. Il n'est pas
uniquement le bébé de ses parents. Il est parfois
un petit-fils ou même un arrière-petit-fils, un frère
ou un cousin. Cet arrière-grand-père s'émerveille
devant ce dernier surgeon de son arbre généalogique.
L'avenir de la famille est assuré.

# Les photographies

Lennart Nilsson recueille des documents sur les débuts de la vie depuis plus de cinquante ans. Ses efforts pour illustrer la manière dont chacun d'entre nous vient au monde l'ont amené à se tenir au plus près des développements de la recherche scientifique. Les techniques photographiques qu'il a utilisées au fil des ans reposent sur une large gamme de techniques mises au point par les meilleurs fabricants de matériels optiques et électroniques.

Cette édition de *Naître* est essentiellement illustrée de nouvelles photographies, mais elle en comporte aussi quelques-unes qui sont devenues des classiques. Cet ouvrage n'aurait jamais vu le jour sans une collaboration étroite avec des chercheurs et des médecins. Les recherches fondamentales et cliniques sont contrôlées par des comités d'éthique dont les règles déterminent ce qui peut et ne peut pas être fait. L'endoscopie et l'échographie ont été utilisées pour réaliser la majeure partie des photographies de ce livre. Certaines d'entre elles ont été réalisées à l'occasion de fécondations *in vitro,* de grossesses extra-utérines ou de fausses couches. L'ouvrage ne comporte aucune photographie d'embryons ou de fœtus avortés de manière médicale ou chirurgicale.

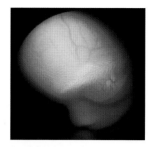 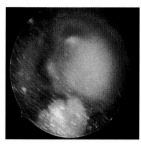

## La fœtoscopie

Depuis trente ans, il est possible d'utiliser l'endoscopie, ou fœtoscopie, pour effectuer des opérations chirurgicales *in utero*. On n'a recours à cette technique que lorsque l'échographie n'apporte pas suffisamment d'informations et que le médecin estime qu'il faut examiner le fœtus de plus près. Le premier « portrait » d'un fœtus vivant a été réalisé par Lennart Nilsson au cours d'un de ces examens (en haut à gauche).

Même aujourd'hui, cette technique n'est utilisée que lorsque des indications médicales très précises l'exigent. Les instruments actuels n'ont pas plus de 1 millimètre de diamètre. Sans augmenter le risque de complications, ils permettent d'obtenir une image relativement précise d'une partie limitée du fœtus (en haut à droite).

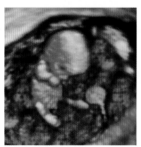   

## L'échographie

L'échographie a fait de grands progrès, et aujourd'hui ses images peuvent être interprétées même par les non-spécialistes. Dans les services spécialisés, l'échographie en trois dimensions est désormais utilisée. Cette technique permet d'examiner l'enfant à naître du stade embryonnaire jusqu'à la fin de la grossesse.

## Techniques optiques

Certaines des photographies de ce livre ont été réalisées avec des objectifs à très grand angle, spécialement commandés par Lennart Nilsson pour pouvoir capturer l'image du fœtus entier dans l'utérus. Ces photos uniques n'auraient pu être obtenues grâce à l'endoscopie ou à l'échographie.

## L'infiniment petit

La photographie de gauche a été réalisée au microscope à rayons lumineux, qui donne des images détaillées et colorées d'une excellente définition. À droite, la même image a été prise à l'aide d'un microscope électronique à balayage, qui permet d'agrandir la taille du sujet des milliers de fois. Ces images ont un rendu tridimensionnel et, plus important, elles ont plus de profondeur qu'une photographie réalisée au microscope à rayons lumineux. Elles sont développées en noir et blanc, puis colorisées (pour être rendues plus faciles à interpréter) grâce à une technique reposant sur la traduction en couleurs de la gamme des gris. Certaines des photos prises au microscope électronique ont été teintées de manière numérique.

# Remerciements

Cet ouvrage n'aurait jamais vu le jour sans tous les couples merveilleux qui m'ont permis de partager la période d'attente de leur enfant et d'être présent lors de sa naissance. Je les en remercie de tout cœur. Ma gratitude va aussi aux équipes des maternités avec lesquelles j'ai travaillé pour mener ce projet à son terme et qui m'ont été d'une grande aide de bien des manières. Je remercie également tout particulièrement Jan-Ake Anderson, Ursula Bentin Ley, Elisabeth Blennow, Hugo Lagercrantz, Outi Houvatta, Eija Matilainen, Thomas Kratochwil, Karl Gösta Nygren et Anita Sjögren. Sans leur générosité, je n'aurais jamais pu réaliser beaucoup des photographies de ce livre.

Une pensée également pour ma femme Catharina, pour son soutien et son assistance, ainsi que pour Lars Hamberger pour sa participation à la réalisation de cet ouvrage. Enfin, mille mercis à l'équipe de Albert Bonniers Förlag qui a été le moteur de ce projet durant des années : Cecilia Bengtsson, Birgitta Emilsson, Susanna Eriksson Lundqvist, Robert Hedberg et Per Wivall, ainsi que mes assistantes Anne Fjellström, Anna Malmberg et Camilla Wodelius.

*Lennart Nilsson*

Je voudrais également exprimer ma gratitude à tous les autres spécialistes qui ont bien voulu m'apporter leur aide précieuse.

Anne Grete Byskov, *Université de Copenhague*
Lars Bäcklund, *Hôpital Sabbatsberg,* Stockholm
Robert Edwards, *Université de Cambridge*
Wilfred Feichtinger, *Centre de planning familial,* Vienne
Axel Ingelman-Sundberg, *Sabbatsbergs sjukhus,* Stockholm
Elisabeth Johannisson, *WHO Genève*
Chr. Kindermann, *Centre de planning familial,* Vienne
David de Kretser, *Monash University,* Melbourne
Andreas Lee, *Ensemble des hôpitaux,* Vienne
Svend Lindenberg, *Université de Copenhague*
Michaela Munkel, *Donauspital,* Vienne
Erik Odeblad, *Université d'Umea*
Leif Plöen, *Université suédoise des Sciences de l'Agriculture,* Uppsala
Henrik Rabeus, *Läkarhuset Odenplan,* Stockholm
Maud Reindal, *Hôpital Saint Erik,* Stockholm
Antal Szabolcs, *Hôpital de Södertälje*

*Hôpital Danderyd, Stockholm :* Bengt Sandstedt.

*Université de Göteborg :* Eva Allén-Frizell ; Gunnar Bergström ; Erling Ekerhovd ; Charles Hanson ; Thorir Hardason ; Anders Norström ; Bo Sultan.

*Hôpital universitaire Huddinge, Stockholm :* Gisela Bergström ; George Evaldson ; Ebba Hedin-Blomqvist ; Ake Seiger ; Magnus Westgren.

*Institut Karolinska, Stockholm :* Lars Brandén ; Kerstin Holmberg ; Bo Lambert ; Stefan Nilsson ; Berit Olsson.

*Hôpital Karolinska, Stockholm :* Asa Avango ; Oddvar Bakos, Marco Bartocki ; Olle Björk. Marc Bygdeman ; Björn Ekman ; Thröstur Finnbogason ; Seth Granberg ; Gun Hermann-Jonasson ; The-Hung Bui ; Marita Johansson ; Urilk Kvist ; Ann-Marie Lundberg ; Marie Lönn ; Lena Marions ; Inga Nilsson ; Bo von Schoultz ; Claes Silferswärd ; Marie Strömberg ; Inger Söderlund ; Hakan Wramsby.

*Université d'Uppsala :* Leif Ljung ; Marianne Ljungqvist ; Tapio Nikkilä.

*Sophiahemmet, Stockholm :* Arthur Aanesen ; Rune Eliasson ; Anna Franzon ; Claes Gottlieb ; Kristina Haglund ; Kaija Hyvönen-Töcksberg ; Björn Loftas ; Cecilia Lärksäter ; Lars Marsk ; Lars Nylund ; Ann-Marie Thörnblad ; Margareta Stefenson ; Eva Örn.

*Ekens Prenatal Clinic,* Stockholm
*Östermalms and Gärdets Private Prenatal Clinic,* Stockholm
*Rinkeby Prenatal Clinic,* Stockholm
*Skanstulls Prenatal Clinic,* Stockholm
*Visby Prenatal Clinic, Visby*
*Hälsopoolen, Rosenlund hospital,* Stockholm
*Satyananda Yogacenter,* Stockholm
*McDonald's,* Stockholm
*Restaurant Martini,* Stockholm
*Rada Gästgifveri,* Mölnlycke

*Ma gratitude pour leur assistance technique aux personnes et firmes suivantes :*
Klaus Biedermann ; Ake Brunkener ; Björn Ekman ; Björn Holmstedt ; Torben Thölix ; K. Tanaka, *Université de Tottori,* Japon.
*Fondation Bertarelli,* Suisse
*Flir Systems AB,* Stockholm
*General Electric – Krets Technik,* Autriche
*Viktor Hasselblad AB,* Göteborg
Jeol, Japon
*Karl Storz GmbH,* Allemagne
*Lorentzen Instrument AB,* Stockholm
*Nikon,* Japon
Siemens, Allemagne
Zeiss, Allemagne

*J'adresse des remerciements particuliers pour leur travail de vérification aux personnes suivantes :* Gudrun Abascal, *BB Stockholm* ; Eivor Björkman, *Ekens Prenatal Clinic* ; Urban Lendahl, *Institut Karolinska* ; Lars-Ake Mattson, *Université de Göteborg.*

# Index

Copyright © 2003 Lennart Nilsson – Photographies AB,
*In Vitro* Research AB et Albert Bonniers Förlag AB, Stockholm.
Titre original pour l'édition suédoise : *Ett barn blir till*
Édition : Cecilia Bengtsson et Suzanna Eriksson Lundqvist
Maquette : Birgitta Emilsson
Fabrication : Robert Hedberg
Dessins en couleurs : Ake Ahlberg (pp. 18-19, 26, 33, 80-81)
Dessins en noir et blanc : Anders Palmgren
Mise en couleurs des photos réalisées
au microscope électronique : Gillis Häägg
et Intermezzo Grafik (pp. 27 en haut, 29, 93)

*Pour l'édition française*
Traduction : Marie-Claire Seewald
Mise en page : Philippe Latombe - Zaaping
Lecture et corrections : Chloé Chauveau
Couverture : Nicole Dassonville

© 2003 HACHETTE LIVRE (Hachette Pratique)
pour l'édition française.
Dépôt légal : septembre 2003
23.28.6832.2/01
ISBN : 2-01-23-6832.8
Imprimé et relié par Graphicom, Vicenza, Italie, 2003